Amuse-toi en cuisinant!

100 recettes équilibrées pour jeunes gourmands

Un livre Dorling Kindersley
www.dk.com

Copyright © 2007 Dorling Kindersley Limited, Londres
Édition originale parue sous le titre *Children's healthy and fun Cookbook*

Pour l'édition originale :

Directrice de l'édition : Julia March
Directrice artistique : Lisa Crowe
Consultante : Denise Smart
Production : Amy Bennet

Pour l'édition française :
Copyright © 2007, Éditions de Tournon

Traduction : Durengal

Pour l'édition française au Canada :
Copyright © 2007, ERPI

 5757, RUE CYPIHOT
SAINT-LAURENT (QUÉBEC)
H4S 1R3

www.erpi.com/documentaire

Dépôt légal – Bibliothèque et Archives nationales du Québec, 2007
Dépôt légal – Bibliothèque et Archives Canada, 2007
ISBN 978-2-7613-2602-5
K 26025

Imprimé en Chine

Édition vendue exclusivement au Canada

Amuse-toi en cuisinant !

100 recettes équilibrées pour jeunes gourmands

Textes de Nicola Graimes
Photographies de Howard Shooter

ERPI

Sommaire

Pommes de terre en robe des champs (p. 35)

Réveil aux fraises (p. 24-25)

Pâtes au thon
(p. 60-61)

Yogourt aux fruits
(p. 86)

Petits pains ronds aux
graines de tournesol
(p. 122-123)

Introduction

Dans ce livre, tu vas découvrir pourquoi il est important de manger sainement et comment profiter d'une alimentation à la fois équilibrée et savoureuse. Tu vas aussi trouver de nombreuses idées pour réaliser des repas délicieux. Même les plus difficiles vont apprécier ! Et rassure-toi : il y a plein de recettes de desserts, de gâteaux et de carrés, toutes excellentes pour la santé.

Pour commencer

1. Lis bien la recette avant de commencer.

2. Lave-toi les mains, attache-toi les cheveux, s'il y a lieu, et enfile ton tablier.

3. Rassemble tous les ingrédients et les ustensiles dont tu auras besoin.

4. C'est parti !

Sois prudent ! Fais très attention lorsque tu vois ce symbole, qui signale la présence d'un four, d'un récipient chaud ou d'un couteau tranchant.

Il faudra parfois que tu demandes de l'aide à un adulte quand tu verras ce symbole. Ne sois pas timide : n'hésite pas si tu en as besoin !

Cuisiner sans risque

La cuisine, c'est très amusant, mais tu dois toujours faire bien attention à la chaleur et aux objets tranchants.

• Utilise des gants de cuisine lorsque tu manipules des casseroles, des plaques ou des récipients chauds.

• Ne pose pas les casseroles ou les plaques chaudes directement sur la surface de travail ; sers-toi d'un sous-plat, d'un tapis, d'une grille ou d'une planche résistant à la chaleur.

• Lorsque tu utilises la cuisinière, tourne toujours le manche de ta casserole ou de ta poêle sur le côté, loin du feu et de l'avant de la cuisinière, pour éviter de la renverser sans le faire exprès.

• Fais très attention chaque fois que tu vois un triangle rouge.

• Demande à un adulte de t'aider lorsque tu vois un triangle vert.

Règles d'hygiène culinaire

Le deuxième point le plus important dans une cuisine après la sécurité, c'est l'hygiène. Voici quelques règles simples à suivre.

• Lave-toi toujours les mains avant de commencer à cuisiner et après avoir manipulé de la viande crue.

• Lave tous les fruits et légumes.

• N'utilise pas la même planche à découper pour la viande et pour les légumes.

• Garde ton espace de travail propre. Il faut que tu aies un torchon à portée de main pour essuyer les éclaboussures.

• Ne réserve pas les aliments cuits et les aliments crus au même endroit.

• Vérifie toujours la date de péremption ou « meilleur avant » des ingrédients.

• Conserve la viande et le poisson au réfrigérateur jusqu'à ce que tu en aies besoin. Fais-les toujours bien cuire.

Le savais-tu ?

Les humains sont les seuls animaux qui mangent des aliments cuits. Toutes les autres créatures (à l'exception des animaux domestiques) mangent des aliments crus et bruts.

Comment suivre une recette

Il y a beaucoup d'indications à suivre. On ne se contente pas de te dire comment cuisiner les aliments, mais on te suggère aussi d'autres possibilités tout en te donnant quelques conseils. Tu découvriras aussi des choses étonnantes sur ce que tu manges.

C'est ici qu'on t'indique dans quel chapitre tu te trouves.

Quelques astuces pratiques

Ici, tu trouveras les temps de cuisson et de préparation.

Tu peux adapter toutes les recettes à ton goût.

Apprends quelques faits étonnants dans cet encadré.

Découvre pourquoi certains aliments sont bons pour la santé

Rassemble tous les ingrédients et les ustensiles dont tu as besoin.

Des photos légendées te guideront pas à pas.

Fruits et légumes

Pour avoir un régime alimentaire équilibré, il est essentiel de manger beaucoup de fruits et de légumes. Certains scientifiques pensent que cela pourrait contribuer à nous faire vivre plus longtemps.

Les fruits et les légumes frais peuvent t'aider à lutter contre les maladies les plus graves du monde moderne, comme le cancer ou les troubles cardiaques.

Tu devrais manger au minimum cinq portions de fruits et de légumes par jour. Une portion équivaut à peu près à ce que tu peux tenir dans ta main : une pomme, quelques grains de raisin, une orange, un kiwi, un ou deux bouquets de brocoli, quelques feuilles de salade, un petit épi de maïs, etc.

Pourquoi les fruits et les légumes sont-ils bons pour toi ?

Les fruits et les légumes sont bons pour toi, car ils apportent à l'organisme des vitamines, des sels minéraux, des fibres et des éléments qu'on trouve dans les végétaux : les phytomolécules. En plus de leurs bienfaits pour la santé, ces molécules donnent leur couleur, leur odeur et leur saveur aux fruits et aux légumes.

Ce qui ne compte pas pour une portion quotidienne

Il y a quelques aliments qui ne comptent pas, parce qu'ils contiennent trop d'amidon ou pas assez de fruits ou de légumes. Ce sont :
• **les pommes de terre et les patates douces**
• **le ketchup**
• **les boissons aux fruits**
• **les yogourts aux fruits achetés dans le commerce**
• **la confiture ou la marmelade achetées dans le commerce**

Coupe de melon aux fruits (p. 88-89)

Je pourrais avaler un arc-en-ciel...

Les fruits et les légumes donnent une touche de couleur agréable à toute alimentation équilibrée. Ils apportent différents nutriments selon leur couleur.

Rouge

Les fruits et les légumes rouges, comme les tomates, les poivrons, les fraises, le raisin et les cerises, sont une excellente source de vitamine C. Celle-ci aide le système immunitaire à fonctionner et renforce la peau, les cheveux et les ongles.

Tomates

Jaune

Les fruits et les légumes jaunes comme les bananes, les poivrons, le maïs doux, le melon et l'ananas doivent leur couleur à la présence de caroténoïdes : ils ont un rôle préventif contre le cancer et les maladies cardio-vasculaires.

Poivrons jaunes

Orange

Les fruits et les légumes orange, comme les carottes, les citrouilles, les courges, les mangues, les abricots et les poivrons, contiennent beaucoup de bêta-carotène et de vitamine C. Le bêta-carotène est excellent pour renforcer ton système immunitaire, et la recherche montre que la vitamine C peut réduire de façon significative la durée et la gravité d'un rhume. Si tu n'as pas encore essayé la citrouille ou la courge, vas-y! Elles contiennent encore plus de bêta-carotène qu'une grosse carotte!

Oranges

Vert

Les brocolis, le chou et les choux de Bruxelles sont fantastiques : ils contiennent plein de vitamines et de sels minéraux, notamment du bêta-carotène, des vitamines B et C, du fer, du potassium et du calcium, qui contribuent tous au bon fonctionnement de ton système immunitaire.

Brocolis

Le savais-tu?

C'est parfois difficile de trouver le bon équilibre, mais tu ne peux pas te tromper si tu manges plusieurs fruits et légumes de différentes couleurs chaque jour, qu'ils soient frais, surgelés, en boîte ou déshydratés.

Violet

Les fruits et les légumes violets, comme le raisin, les aubergines, le cassis, les bleuets, les mûres, les figues, les betteraves et le chou rouge, sont une excellente source de vitamine C. Ils contiennent aussi des bioflavonoïdes, qui aident ton corps à assimiler la vitamine C et atténuent la douleur quand tu te cognes.

Bleuets

Féculents

Le pain, les céréales, le riz, les pâtes et les pommes de terre contiennent tous de l'amidon. Ce sont les principales sources d'énergie de ton corps, c'est pourquoi ils devraient constituer la principale partie de chaque repas. Ils contiennent également des fibres et des vitamines en bonne quantité, et aussi des protéines. Ces aliments naturellement sucrés font partie des féculents.

Tu devrais manger quatre à six portions de féculents par jour, en fonction de ton âge. Comptent pour une portion un morceau de pain, une part de riz ou de pâtes, une pomme de terre moyenne ou un bol de céréales pour le déjeuner.

Pâtes à la farine de blé

Les bons féculents

Il y a de nombreuses sortes de féculents mais, si tu peux, opte toujours pour des variétés de farines non raffinées, dont la céréale est complète. Elles contiennent plus de vitamines et de sels minéraux que les produits raffinés, qui ont perdu de nombreux nutriments.

Riz brun

Pain

Les meilleurs pains sont ceux qui sont à base de farine de blé entier : ils apportent des vitamines B et E ainsi que des fibres. Le pain blanc contient encore quelques vitamines et des sels minéraux, mais il manque de fibres. Tu peux choisir parmi de nombreuses variétés :
• les tortillas
• les pains pitas
• les bagels
• le pain de blé entier
• le pain de seigle
• la focaccia
• la ciabatta

Pain aux flocons d'avoine (p. 106)

10

Graines et céréales

Cela fait des siècles qu'on utilise les graines partout dans le monde. Les céréales ont des usages multiples et contiennent peu de gras :
• le blé
• le seigle
• le quinoa
• le millet
• le sarrasin
• la semoule de blé
• le boulgour

Céréales pour le déjeuner (p. 16)

Riz

Le riz est populaire dans de nombreux pays du monde et constitue une part importante du régime alimentaire des Indiens, des Chinois et des Japonais. Tu as le choix entre différents types :
• **le riz à grain long**
• **le riz à grain rond**
• **le riz basmati**
• **le riz arborio**
• **le riz gluant**

Jambalaya (p. 76-77)

Les fibres

Les féculents sont aussi une bonne source de fibres. On ne trouve celles-ci que dans les aliments qui proviennent de plantes. Parmi les aliments riches en fibres, on compte le pain de blé entier, le riz brun, les pâtes à la farine de blé entier et les céréales complètes pour le déjeuner. Ils contiennent tous des fibres non solubles : même si ton corps ne peut pas digérer ce type de fibres, elles contribuent au transit des autres aliments et des excréments à travers ton système digestif. On trouve les fibres solubles dans les flocons d'avoine et les légumineuses : ton corps peut les digérer.

Flocons d'avoine

Pommes de terre

Il y a des milliers de variétés de pommes de terre. Certaines sont mieux adaptées à la cuisson au four ou à l'eau, ou encore à la purée. Les vitamines et les sels minéraux se trouvent dans la peau ou juste en dessous. Il vaut donc mieux les servir sans les éplucher ni les gratter. C'est aussi dans la peau que se trouvent les fibres.

Pommes de terre

Protéines

On trouve des protéines dans la viande, le poisson et les légumes. Les protéines sont composées d'acides aminés, essentiels pour te rendre grand et fort. Essaie de tirer des protéines de différents aliments : tu auras ainsi un régime alimentaire équilibré et varié.

Manges-en entre deux et quatre portions par jour. Une portion correspond à une poignée de noix, de noisettes, d'amandes ou de graines, à un œuf ou à une part de viande, de poisson ou de féculents (haricots, pois, lentilles).

Viande

La viande est une bonne source de vitamines et de sels minéraux tels que le fer, le zinc, le sélénium et les vitamines B, mais elle peut aussi comporter un taux élevé d'acides gras saturés (p. 14-15). Mieux vaut choisir des morceaux maigres ou éliminer l'excédent de graisses avant de cuisiner. La volaille est moins grasse que la viande rouge, surtout si tu enlèves la peau.

Viandes rouges
- le bœuf
- le porc
- l'agneau
- le gibier

Volailles
- le poulet
- la dinde
- le canard

Kebab d'agneau (p. 68-69)

Noix variées et graines

Les graines et les noix variées sont une bonne source de protéines et apportent de nombreux sels minéraux et vitamines, ainsi que des « bons » gras comme les oméga 6 (p. 14-15). Ils contiennent toutefois beaucoup de gras : il ne faut pas trop en manger et éviter les graines et les fruits salés.

Le tofu et les œufs sont deux sources de protéines essentielles. Le tofu fournit également du calcium, du fer et les vitamines B1, B2 et B3 (p. 50-51 et 80-81), tandis que les œufs contiennent des vitamines B, du fer, du calcium et du zinc.

Tofu

Noix variées et graines
- les arachides
- les noix du Brésil
- les noix de Grenoble
- les noix de cajou
- les noisettes
- les amandes

- les graines de tournesol
- les graines de sésame
- les graines de citrouille
- les graines de pavot
- les graines de lin

Poisson

Tu devrais manger au moins deux portions de poisson par semaine, dont au moins un poisson gras. Le saumon, le thon, les sardines, le maquereau, la truite et le hareng appartiennent tous à cette catégorie : ils sont riches en oméga 3 et en protéines.

Papillotes de saumon (p. 70-71)

Légumineuses

Une légumineuse est constituée de graines comestibles qui poussent dans une enveloppe végétale. C'est une bonne source de protéines, à faible teneur en gras.
En conserve, ces légumineuses sont prêtes à l'emploi et faciles à cuisiner, mais mieux vaut les acheter sans sucre ni sel ajoutés.

Les légumineuses à gousse les plus courantes :
- **les lentilles**
- **les pois secs**
- **les pois cassés**
- **les haricots**
- **les flageolets**
- **les pois chiches**
- **les haricots rouges**
- **le soya**

Le savais-tu ?

Une poitrine de poulet panée contient près de six fois plus de gras que si on la fait griller après en avoir ôté la peau.

Produits laitiers

En plus des protéines, les produits laitiers apportent de précieux sels minéraux et des vitamines, comme le calcium et les vitamines A, B12 et D.

Lait

Délice de yogourt et ses trempettes (p. 26-27)

Produits laitiers
- **le lait**
- **le yogourt**
- **le fromage**
- **le beurre**
- **le fromage frais**
- **la crème**
- **le babeurre**

Pour changer des produits laitiers
- **céréales enrichies pour le déjeuner**
- **lait de soya**
- **tofu**
- **légumes verts à feuilles**
- **mélasse**
- **sardines en boîte**
- **haricots blancs à la sauce tomate**
- **algues**
- **graines de sésame**

Mange deux ou trois portions d'aliments riches en calcium par jour pour avoir des os solides et de bonnes dents. Une portion équivaut à un verre de lait, à un petit pot de yogourt ou à une petite part de fromage.

Gras et sucre

Tu as besoin de manger des lipides, car ils apportent à ton corps beaucoup d'énergie ainsi que des acides gras essentiels, tels les oméga 3, et ils l'aident aussi à assimiler certaines vitamines. Mais il est important de manger de bons gras, comme les acides gras mono-insaturés et poly-insaturés ; essaie en revanche d'éviter les acides gras saturés et trans.

Prends garde de ne pas manger trop de gras. Pour connaître le taux de lipides contenus dans un produit, il suffit de lire l'étiquette : 20 g de lipides pour 100 g de nourriture, ça fait beaucoup de gras, tandis que 3 g pour 100 g représentent peu de gras. Sers-toi de ce que tu apprends dans ce livre pour surveiller ta consommation.

Fromage

Les mauvais gras

Les acides gras saturés et trans sont en général solides à la température ambiante et proviennent principalement de sources animales (à l'exception du poisson). On les trouve dans le lard, le beurre, la margarine, le fromage, le lait à 3,25 % et tous les produits qui contiennent l'un de ces ingrédients (gâteaux, chocolat, biscuits, tartes et pâtisseries). Les acides gras saturés se trouvent aussi dans la graisse blanche qu'on voit sur la viande rouge et sous la peau des volailles. Moins tu mangeras d'acides gras saturés, mieux tu te porteras : certaines maladies cardiaques sont liées à la consommation de ce type de gras.

Frites

Croissants

Gâteau

Les bons gras

Avocats

Huile d'olive

Les acides gras non saturés (poly-insaturés et mono-insaturés) sont généralement à l'état liquide à la température ambiante. Ce sont des choix beaucoup plus sains pour apporter à ton corps l'énergie dont il a besoin, transporter les nutriments et protéger ton cœur. Les acides gras insaturés proviennent généralement de sources végétales (et de certains poissons) : les huiles végétales comme celle de sésame, de tournesol, de soya, d'olive, de noix, de noisette et d'avocat. On les trouve aussi dans certains poissons comme le maquereau, la sardine et le saumon ainsi que dans la margarine molle. Tu n'as besoin de manger qu'une très petite quantité de ces gras pour en tirer les bénéfices.

Graines de tournesol

Quelques façons simples de réduire les mauvais gras

- Manger des noix, des noisettes et des amandes non salées plutôt que des biscuits ou des craquelins
- Se faire des tartines de purée d'avocat ou de hoummos au lieu de prendre du beurre
- Choisir des poissons gras plutôt que du poisson pané ou des pâtés à la viande
- Pour changer, mélanger sa purée de pommes de terre avec de l'huile d'olive plutôt que du beurre
- Verser un filet d'huile d'olive et de citron sur sa salade plutôt qu'une vinaigrette crémeuse du commerce, prête à l'emploi
- Grignoter des fruits frais ou séchés plutôt que des biscuits et du chocolat
- Enlever toute graisse visible sur la viande rouge et la volaille
- Acheter des morceaux et de la viande hachée maigres
- Oublier la poêle à frire et essayer de pocher, de cuire à la vapeur, de griller ou de rôtir au four
- Opter pour le lait à 1% ou à 2% plutôt que pour le lait à 3,25%
- Au lieu d'employer du lard, du beurre ou de la margarine dure, se servir d'huile végétale et de tartinades faibles en gras.

Noisettes

Poisson

Raisins secs

Framboises

Fraises

Hoummos

Les aliments sucrés

Comme le gras, le sucre est un concentré d'énergie. On le trouve dans des aliments comme la confiture, les bonbons, les gâteaux, le chocolat, les boissons gazeuses, les biscuits et la crème glacée. Les bénéfices psychologiques de tels produits sont évidents : ils sont succulents! Cependant, un excès de sucre entraîne caries, obésité et sautes d'humeur. Il est donc important d'en limiter la consommation.

Confiture

Suçons

Boisson gazeuse

Le sel

Une consommation excessive de sel peut entraîner une augmentation de la pression artérielle et des maladies cardiaques. Les croustilles et les arachides ne sont pas les seuls produits à contenir du sel. Il se cache dans les céréales, le pain, les gâteaux et les biscuits. Cela veut dire qu'il peut être très difficile de savoir si on en mange trop. Consulte les étiquettes pour voir si on a ajouté du sel.

Voici la consommation quotidienne recommandée :

1-3 ans : 2 g (0,8 g de sodium)
4-6 ans : 3 g (1,2 g de sodium)
7-10 ans : 5 g (2 g de sodium)
11 ans et plus : 6 g (2,5 g de sodium)

Croustilles

Sel

Déjeuners

Après une nuit de sommeil, il te faut du carburant : un bon déjeuner pour te préparer à affronter la journée ! Les aliments riches en féculents comme les céréales et le pain sont idéaux, car ton corps les transforme en glucose, ce qui fait fonctionner ton cerveau. Les aliments qui contiennent des protéines comme le yogourt, le lait, les œufs, le bacon, les saucisses et les légumineuses sont tout aussi importants : ils régulent la croissance de ton corps et le mettent en éveil. Voici plein de délicieuses recettes et quelques idées pour commencer.

Œuf à la coque

Remplis une casserole d'eau jusqu'à mi-hauteur. Dépose un œuf au fond de la casserole et porte l'eau à ébullition. Fais bouillir l'œuf pendant 4 min, puis retire-le avec une écumoire. Trempe l'œuf dans l'eau froide, puis mets-le dans un coquetier. Découpe la couronne de l'œuf. Sers-le avec du pain grillé.

Naturellement sucré

Les céréales du commerce contiennent parfois beaucoup de sucre. Achète des flocons de blé ou d'avoine sans sucre ajouté et mélange-les avec tes fruits séchés, noix, noisettes ou graines préférés.

Facile et rapide

Donne de l'énergie à ton déjeuner. Dispose des rondelles de banane, 1 grosse cuil. de yogourt nature (bio) et un filet de miel sur une tranche de pain aux céréales complètes ou aux fruits.

Ajoute des fruits !

Commence la journée du bon pied en ajoutant des fruits frais à tes céréales. Ils t'apportent des vitamines et des sucres naturels.

Ragoût de pommes (4 parts)

Pèle 4 pommes, ôte les trognons, puis coupe-les en petits morceaux. Mets-les dans une casserole et ajoute 5 ml (1 cuil. à thé) de cannelle moulue, 60 ml (4 cuil. à soupe) de jus de pomme et un filet de jus de citron. Couvre la casserole à moitié et laisse mijoter pendant 15-20 min, jusqu'à ce que les pommes soient tendres.

Déjeuner cuisiné

Fais griller la viande au lieu de la faire frire. Pour un déjeuner équilibré, prends de la viande maigre ou des saucisses végétariennes, ajoute des tomates et des champignons grillés, du pain de blé entier gillé et des œufs brouillés.

Œuf poché

Remplis une casserole d'environ 5 cm (2 po) d'eau et fais frémir le liquide. Casse un œuf dans une tasse, puis verse-le au centre de la casserole. Fais-le cuire pendant 3 min, jusqu'à ce que le blanc ait pris et que le jaune soit encore liquide. Retire l'œuf à l'aide d'une écumoire et sers-le avec des tranches de pain de blé entier, grillées.

Gruau (4 parts)

Mets 500 ml (2 tasses) de flocons d'avoine dans une casserole avec 250 ml (1 tasse) de lait et 250 ml (1 tasse) d'eau. Porte le tout à ébullition, puis laisse mijoter à feu doux pendant 4 min sans cesser de remuer jusqu'à ce que le mélange soit onctueux.

Salade de fruits

Les salades de fruits sont idéales pour le déjeuner, le dessert ou la collation. Il suffit de mélanger tes fruits préférés. Avec du yogourt nature, c'est excellent !

Augmente les nutriments

Une poignée de graines, de noix ou de noisettes concassées renforcera l'apport nutritionnel de toutes les céréales.

Jus de pomme et de carotte

Ce jus de fruits frais regorge de vitamine C ! Ne t'en fais pas si tu n'as pas de centrifugeuse : enlève le trognon des pommes, puis réduis-les en purée dans un robot culinaire. Prends une passoire pour séparer le jus de la pulpe.

Pour un bénéfice maximal, bois ton jus sans attendre.

Conseil sain et pratique

Le jus de citron contribue à conserver les vitamines contenues dans ton jus et rehausse la saveur de la pomme et de la carotte.

Ingrédients
- 3 carottes (pelées)
- 4 pommes (équeutées)
- le jus de 1 citron pressé (facultatif)

Ustensiles
- une planche à découper
- un petit couteau tranchant
- une centrifugeuse

Centrifugeuse

1 Nettoie les carottes et coupe-les en 2 ou 3 morceaux. Équeute les pommes et coupe-les en quartiers.

2 Mets les carottes et les pommes dans la centrifugeuse. Jette la pulpe et verse le jus dans 2 verres. Ajoute un filet de jus de citron et mélange le tout.

Smoothie aux fruits

Cette boisson onctueuse te donnera plein d'énergie pour affronter ta journée. Elle est très facile à faire. Sers-la avec des céréales ou des tartines pour un déjeuner complet.

Autre délicieuse possibilité

Remplace les bleuets par la même quantité de fraises.

Ingrédients

- 3 bananes coupées en rondelles
- 150 g ou 250 ml (1 tasse) de bleuets frais ou surgelés
- 5 ml (1 cuil. à thé) d'extrait de vanille (facultatif)
- 500 ml (2 tasses) de yogourt nature
- 175 ml (¾ tasse) de lait

Banane   Bleuets

Ustensiles

- un petit couteau tranchant
- une planche à découper
- un robot culinaire

Planche à découper

1 Pèle les bananes, puis découpe-les en rondelles. Place-les dans le bol du robot, puis ajoute les bleuets, l'extrait de vanille, le yogourt et le lait.

2 Mélange le tout jusqu'à ce que tu obtiennes un liquide onctueux et épais. Verse le smoothie dans 4 grands verres et déguste ce déjeuner simple et nourrissant.

Barres aux fruits et aux noi

Cette version maison des barres aux céréales et aux fruits regorge d'abricots, de raisins secs, de noisettes et de graines : c'est un vrai plein d'énergie et une excellente façon d'attaquer la journée, surtout avec un verre de lait riche en calcium ou un yogourt. Tu peux également emporter une barre pour compléter ta boîte à lunch.

Autres possibilités

Tu peux utiliser n'importe quel type de fruits séchés pour confectionner ces barres. Tu peux aussi acheter un mélange de fruits séchés tout prêt.

Ingrédients

- 75 ml (5 cuil. à soupe) de noisettes
- 175 ml (¾ tasse) de flocons d'avoine
- 150 ml (⅔ tasse) de raisins secs
- 175 ml (¾ tasse) d'abricots séchés (coupés en petits morceaux)
- 60 ml (4 cuil. à soupe) de jus d'orange
- 30 ml (2 cuil. à soupe) de graines de tournesol
- 30 ml (2 cuil. à soupe) de graines de citrouille

Raisins secs

Graines de citrouille

Graines de tournesol

Flocons d'avoine

Ustensiles

- une poêle à frire
- une spatule en bois
- un petit couteau tranchant
- une planche à découper
- un robot culinaire
- un grand saladier
- du papier sulfurisé
- une spatule
- un moule en aluminium de 18 × 25 cm (7 × 10 po)

Spatule

1 Mets les noisettes et les flocons d'avoine dans une poêle à frire. Fais frire à feu moyen pendant 3 min, jusqu'à ce que les ingrédients commencent à dorer. Laisse refroidir.

2 Mets les raisins, les abricots et le jus d'orange dans le bol du robot et mélange jusqu'à ce que le tout soit onctueux. Mets la purée de fruits dans le saladier.

3 Mets les noisettes, les flocons d'avoine et les graines dans le bol du robot et réduis-les en poudre. Ajoute le tout à la purée de fruits.

...ttes

Découpe 8-10 tranches et mange-les au déjeuner.

Le savais-tu ?

Les noisettes sont riches en fibres, en potassium, en calcium, en magnésium et en vitamine E : elles sont aussi nourrissantes que délicieuses.

Informations nutritionnelles

Faire sécher les fruits est une méthode ancestrale de conservation. Le séchage concentre les nutriments, c'est pourquoi les fruits séchés sont une bonne source de fibres, de sucres naturels, de vitamines B et C, de fer, de calcium et d'autres sels minéraux. Cependant, ils contiennent moins de vitamine C que les fruits frais.

Abricots séchés

4 Mélange le tout jusqu'à ce que tous les ingrédients soient incorporés. Tapisse ensuite ton moule de papier sulfurisé.

5 Étale le mélange de fruits de manière bien uniforme au fond du moule. Réserve au frigo pendant au moins 1 h. Démoule et retire le papier sulfurisé.

Céréales soufflées et fru

Les céréales achetées dans le commerce comportent parfois beaucoup de sucre inutile. Cette version plus saine utilise le sucre naturellement contenu dans les fruits séchés, également riches en fibres et en nutriments comme le fer. Il suffit d'ajouter du lait pour obtenir un déjeuner délicieux et nourrissant.

Autres possibilités

Tu peux employer n'importe quel mélange de tes fruits préférés dans cette recette ; tu peux aussi remplacer le riz soufflé par des flocons d'avoine pour faire un muesli. Ou bien pourquoi ne pas couronner une portion de fruits frais d'une poignée de ces délicieuses céréales ?

Ingrédients

- 125 ml (½ tasse) de noisettes entières
- 120 ml (8 cuil. à soupe) de graines de tournesol
- 150 ml (⅔ tasse) d'abricots séchés (coupés en petits morceaux)
- 1,5 l (6 tasses) de riz soufflé ou croquant
- 175 ml (¾ tasse) de raisins secs
- 125 ml (½ tasse) de noix de coco râpée

Noisettes

Riz soufflé

Abricots séchés

Ustensiles

- une poêle à frire
- une spatule en bois
- un petit saladier
- un sac à congélation
- un rouleau à pâtisserie
- des ciseaux de cuisine
- un saladier

Rouleau à pâtisserie

Poêle à frire

Le savais-tu ?

Au Canada, il se boit 90 litres de lait par habitant, tandis qu'en Finlande et en Islande, ce sont 170 litres et en Chine, moins de 5 litres.

1 Fais frire les noisettes dans une poêle à feu doux sans ajouter de graisse. Remue les noisettes à l'aide de la spatule en bois, puis laisse cuire pendant 3 min.

2 Verse les noisettes dans un saladier et laisse-les refroidir. Place les graines de tournesol dans la poêle et fais-les frire 2 min. Elles devraient dorer sans brûler.

3 Laisse refroidir les graines de tournesol. Verse les noisettes refroidies dans un sac à congélation. Referme le sac en le repliant et maintiens-le fermé.

ts mélangés

Conserve les céréales dans une boîte hermétique pour qu'elles restent fraîches plus longtemps.

4 Écrase les noisettes avec le rouleau à pâtisserie jusqu'à ce qu'elles soient réduites en petits morceaux. Puis coupe les abricots en petits morceaux.

5 Place le riz soufflé dans un saladier. Ajoute les abricots, les noisettes, les graines de tournesol, les raisins secs et la noix de coco, puis mélange à la main.

Informations nutritionnelles

Les noisettes et les graines apportent un mélange nourrissant de vitamines B, de fer, de vitamine E, de zinc et d'oméga 6, importants pour le bon fonctionnement du cerveau et l'énergie dont ton corps a besoin.
Les graines de tournesol renforcent ton système immunitaire : elles apportent du zinc, du magnésium et du sélénium. La vitamine E contribue à la santé de la peau.

Graines de tournesol

Réveil aux fraises

Les flocons d'avoine et les graines grillées apportent du croquant à ce déjeuner ainsi que des nutriments essentiels. Le yogourt est aussi une source de protéines et de calcium, et il contient très peu de gras. Les fraises et le jus d'orange apportent de la vitamine C, et le miel ajoute une touche de douceur. Tu peux aussi utiliser du sirop d'érable à la place.

Autres possibilités

Remplace les fraises par n'importe lequel de tes fruits préférés : des bananes, des nectarines ou des pêches. Une purée de fruits serait tout aussi succulente (p. 26-27 et 86) !

Ingrédients

- 8-10 fraises
- 60 ml (4 cuil. à soupe) de jus d'orange
- 175 ml (¾ tasse) de flocons d'avoine
- 45 ml (3 cuil. à soupe) de graines de tournesol
- 45 ml (3 cuil. à soupe) de graines de citrouille

Graines de citrouille

- 30-45 ml (2-3 cuil. à soupe) de miel liquide
- 175 ml (¾ tasse) de yogourt nature

Miel

Fraises

Ustensiles

- un petit couteau tranchant
- une planche à découper
- un petit saladier
- une poêle à frire
- une spatule en bois

Planche à découper

1 Équeute les fraises avant de les couper en deux. Mets-les dans un saladier, puis ajoute le jus d'orange. Réserve le tout.

2 Mets les flocons d'avoine dans une poêle et fais-les frire sans gras à feu moyen-doux pendant 3 min. Remue-les avec une spatule pour qu'ils soient bien cuits.

3 Ajoute ensuite les graines de tournesol et de citrouille et fais-les frire pendant 2 min. Attention ! Les graines de citrouille explosent parfois.

Ça ferait un délicieux dessert !

Informations nutritionnelles

Les flocons d'avoine contiennent des féculents. Ils sont parfaits pour le déjeuner, car ils sont riches en fibres et le corps les digère lentement. C'est pour cela qu'on se sent rassasié plus longtemps et que le taux de glucose dans le sang reste constant. L'avoine est aussi une excellente source de vitamines E, B1 et B2.

Flocons d'avoine

4 Retire la poêle du feu. Ajoute le miel tout en remuant : au début, il grésillera, mais remue jusqu'à ce que les flocons et les graines soient bien enrobés.

5 Dépose une couche de flocons d'avoine au fond de chaque verre. Ajoute 15 ml (1 cuil. à soupe) de yogourt, puis quelques fruits. Renouvelle l'opération.

Délice de yogourt et ses trempettes

Contrairement aux yogourts achetés dans le commerce, il n'y a ni sucre raffiné ni additif dans cette recette. Ces succulents yogourts sont faibles en gras, riches en calcium, en protéines et en potassium. Ils contiennent aussi des fruits séchés riches en vitamines. Amuse-toi bien en trempant des lanières de pain aux raisins grillé !

Autres possibilités

Les fruits frais ou en purée sont tout aussi excellents mélangés à du yogourt. Essaie donc la mangue, les fraises, les framboises ou les pommes en ragoût (p. 17 et 86).

Ingrédients

- 150 ml (²/₃ de tasse) de dattes ou d'abricots séchés
- 250 ml (1 tasse) d'eau
- 45 ml (3 cuil. à soupe) de jus de pomme frais
- 1 pot de 500 g de yogourt nature (bio)
- 4-8 tranches de pain aux raisins

Dattes

Abricots séchés

Ustensiles

- une casserole de taille moyenne et son couvercle
- un mélangeur
- une cuillère
- quatre bols

Bol

1 Mets les dattes ou les abricots dans la casserole avec l'eau. Porte à ébullition, puis règle le feu à doux. Couvre la casserole et fais cuire les fruits pendant 15-20 min, jusqu'à ce qu'ils soient tendres.

Tu peux aussi y tremper des morceaux de muffins ou de bagels.

Informations nutritionnelles

Le yogourt nature contient des bactéries bénéfiques qui contribuent à renforcer ton système immunitaire et aident ton système digestif à combattre les infections.

Yaourt nature

Le savais-tu ?

Le yogourt existe depuis l'Antiquité. Ce mot est d'origine turque.

2 Laisse refroidir les dattes ou les abricots pendant 30 min, puis ajoute le jus de pomme en remuant. Verse le tout dans le bol du mélangeur et actionne-le.

3 Répartis le yogourt entre 4 bols. Mets 30 ml (2 cuil. à soupe) de purée de fruits dans chaque bol, puis remue doucement pour dessiner une spirale.

4 Fais griller le pain aux raisins jusqu'à ce qu'il soit légèrement doré. Coupe-le en lanières et trempe-les dans ton yogourt.

Crêpe à la banane

Accompagnées de petits fruits et d'un filet de sirop d'érable, ces crêpes feront un brunch délicieux et nourrissant. Avec une purée de fruits (p. 86) ou du yogourt, ce serait tout aussi excellent.

Petite astuce

Il faut que ta pâte soit bien fluide. Si des grumeaux apparaissent, filtre-la à la passoire en pressant dessus avec une cuillère.

Ingrédients

- 175 ml (¾ tasse) de farine tout usage
- 50 ml (¼ tasse) de farine de blé entier
- 10 ml (2 cuil. à thé) de poudre à pâte
- 30 ml (2 cuil. à soupe) de sucre
- 175 ml (¾ tasse) de lait
- 1 œuf
- 2 bananes pelées
- du beurre (pour faire frire)

Œuf

Farine de blé entier

Passoire

Ustensiles

- une passoire
- un grand saladier
- une cuillère en bois
- un presse-purée ou une fourchette
- une grande poêle antiadhésive
- une louche
- une spatule

Louche

Saladier

1 Tamise les deux farines et verse-les dans un saladier. Ajoute le son resté au fond de la passoire. Ajoute ensuite la poudre à pâte, le sucre en remuant et creuse un puits au centre du mélange.

2 Ajoute le lait, puis 1 œuf. Bats légèrement le tout à la fourchette jusqu'à l'obtention d'un mélange homogène.

Informations nutritionnelles

Pour cette recette, opte pour des bananes mûres. Elles sont plus faciles à réduire en purée, et le corps absorbe mieux les nutriments qu'elles contiennent : les vitamines B et C, du potassium, du fer et du bêta-carotène. Les bananes vertes sont indigestes et peuvent te donner mal au ventre.

Bananes

3 Verse le mélange de lait et d'œuf dans le puits creusé au centre du saladier. Bats le tout à l'aide d'une cuillère en bois jusqu'à l'obtention d'une pâte onctueuse.

4 Laisse reposer au moins 30 min. Ainsi, tes crêpes seront plus légères. Réduis les bananes en purée dans un saladier avant de les incorporer à la pâte.

Le savais-tu ?

En Russie, on appelle les crêpes des « blinis » et, en Amérique latine, ce sont des « panquèques ».

5 Fais chauffer une petite noix de beurre dans une poêle. Ajoute 3 petites louches de pâte pour faire 3 crêpes d'environ 8 cm (3 ¼ po) de diamètre chacune.

6 Laisse cuire pendant 2 min, jusqu'à ce que des bulles apparaissent à la surface, puis retourne tes crêpes et laisse-les cuire pendant encore 2 min.

7 Réserve tes crêpes au chaud dans le four pendant que tu termines les autres.

Petits pains aux œufs

Les œufs sont une excellente source de protéines et constituent un plat idéal pour commencer la journée. Cette recette est parfaite pour un brunch le week-end, ou même pour un repas léger.

Petite astuce

Lorsqu'on fait des œufs brouillés, il faut faire attention au temps et à la température : si on les fait cuire trop longtemps ou bien si la chaleur est trop forte, ils deviennent secs et grumeleux.

Le savais-tu ?

La couleur de l'œuf dépend de la race de la poule. Les poules blanches font des œufs blancs et les poules brunes font des œufs marron.

Ingrédients

- 4 petits pains ronds croustillants
- 3 tomates (facultatif)
- 8 œufs
- 75 ml (5 cuil. à soupe) de lait
- du sel et du poivre
- 45 ml (3 cuil. à soupe) de beurre doux

Petits pains ronds

Tomates

Ustensiles

- un couteau tranchant
- une planche à découper
- un saladier
- un fouet ou une fourchette
- une casserole de taille moyenne

Fouet

Planche à découper

1 Coupe la couronne de chaque petit pain, puis enlève la mie avec les doigts.

2 Coupe les tomates en deux, puis épépine-les à l'aide d'une petite cuillère. Coupe-les ensuite en dés.

3 Casse tes œufs au-dessus d'un saladier : tape chaque œuf fermement contre le bord du plat, puis enfonce les pouces dans la fissure pour ouvrir la coquille.

4 Ajoute le lait au saladier. Bats ensemble le lait et les œufs à l'aide d'une fourchette ou d'un petit fouet. Ajoute un peu de sel et de poivre.

5 Mets le beurre dans la casserole et fais-le fondre à feu doux. Lorsque le beurre se met à faire des bulles, ajoute les tomates et laisse cuire pendant 1 min.

6 Ajoute le mélange à base d'œufs. Remue pendant 3 min, jusqu'à ce que les œufs soient fermes, pour éviter qu'ils n'attachent au fond de la casserole. Retire du feu.

7 Garnis d'œufs brouillés et de tomates chaque petit pain. Pose les couronnes de pain par-dessus. Un verre de jus d'orange accompagnera très bien ce plat.

Tortilla espagnole

Une tortilla est une omelette épaisse et plate, très prisée en Espagne. Cette version diffère du plat traditionnel, à base d'œufs, d'oignons et de pommes de terre. Elle est idéale pour un déjeuner ou un repas léger.

Le savais-tu ?

« Tortilla » veut dire « omelette » en espagnol. En Italie, on dit « frittata ». Cependant, au Mexique, une tortilla est un pain plat, non levé, généralement fait à base de farine de maïs.

Ingrédients

Œufs

• 4 saucisses de bonne qualité (ou l'équivalent végétarien)
• 4 pommes de terre de taille moyenne (pelées, cuites et refroidies)
• 30 ml (2 cuil. à soupe) d'huile de tournesol

• 8 tomates cerises (coupées en deux)
• 5 œufs
• du sel et du poivre

Pommes de terre

Tomates cerises

Ustensiles

• du papier d'aluminium
• des pinces
• une planche à découper
• une poêle allant au four
• une spatule
• un petit bol
• un fouet ou une fourchette
• un petit couteau tranchant

Poêle

Spatule

1 Fais préchauffer le gril du four à moyen-vif et fais griller les saucisses pendant 10-15 min, jusqu'à ce qu'elles soient bien cuites et dorées.

2 Pendant que tes saucisses refroidissent, coupe les pommes de terre cuites en dés. Coupe ensuite les saucisses en rondelles de 2,5 cm (1 po) d'épaisseur.

Informations nutritionnelles

Les meilleures saucisses sont dites « maigres » : elles contiennent plus de viande et moins de gras que les autres. Les saucisses de dinde sont moins grasses que celles de porc ou de bœuf.

Saucisses

Autres possibilités

Les saucisses végétariennes, le bacon ou le poulet vont très bien avec cette tortilla. Tu peux aussi ajouter d'autres légumes comme des champignons, des poivrons ou des asperges.

3 Fais chauffer l'huile. Ajoute les pommes de terre et fais-les frire à feu moyen pendant 8 min. Ajoute les tomates et fais-les cuire pendant 2 min.

4 Casse les œufs au-dessus d'un petit bol, puis bats le tout. Ajoute du sel et du poivre. Dispose les saucisses dans la poêle.

5 Ajoute un peu plus d'huile dans la poêle, au besoin. Verse les œufs et laisse cuire sans remuer pendant 5 min jusqu'à ce que le fond de la tortilla soit ferme.

6 Pour faire cuire le dessus de la tortilla, place la poêle sous le gril et laisse cuire pendant encore 3 à 5 min, jusqu'à ce que le dessus soit ferme.

7 Retire la poêle du gril et laisse-la refroidir avant de faire glisser la tortilla dans un plat. Coupe-la en parts avant de servir.

Repas légers

Il est important de maintenir un niveau d'énergie constant tout au long de la journée. C'est pourquoi il faut prendre des repas réguliers, ainsi que deux collations saines pour soutenir la concentration et la mémoire. Si tu veux des idées de lunch ou de repas léger, tu en trouveras plein dans ce chapitre, et encore plus pour ta collation.

Hamburgers végétariens

Mets 175 ml (¾ tasse) de haricots rouges en boîte (égouttés), 1 petit oignon (coupé), 1 carotte, 125 ml (½ tasse) de chapelure de farine de blé entier, 15 ml (1 cuil. à soupe) de beurre d'arachide (facultatif) et 1 œuf dans le bol de ton robot culinaire. Réduis le tout en purée grossière, assaisonne et réserve au frigo pendant 1 h. Forme 4 galettes et saupoudre-les de farine. Badigeonne le tout d'huile avant de les faire griller pendant 5-6 min de chaque côté.

Crudités

La plupart des légumes sont meilleurs pour ta santé lorsqu'ils sont crus. Essaie de tremper des allumettes de céleri, de poivron, de carotte ou de concombre dans du hoummos ou du guacamole.

Hoummos

Mélange 625 ml (2½ tasses) de pois chiches en boîte (égouttés), 2 gousses d'ail (pelées), 10 ml (2 cuil. à thé) de pâte de sésame légère (tahini), le jus de 1 citron et 60 ml (4 cuil. à soupe) d'huile d'olive jusqu'à l'obtention d'un mélange homogène.

Garniture pour tes tartines

Réduis en purée ½ avocat mûr, puis étale-le en couches épaisses sur une tranche de pain de blé entier grillée. Le hoummos et le beurre d'arachide sont tout aussi délicieux.

Super, la soupe !

Augmente les bienfaits nutritionnels de la soupe achetée dans le commerce en y ajoutant des haricots en boîte, des lentilles précuites ou des légumes.

Salade de chou

Mets dans un saladier ½ chou blanc ou rouge râpé, 2 carottes râpées, 1 pomme râpée et 2 oignons verts coupées. Mélange ensemble 30 ml (2 cuil. à soupe) d'huile d'olive, 15 ml (1 cuil. à soupe) de jus de citron et 60 ml (4 cuil. à soupe) de mayonnaise avant d'ajouter cette sauce au mélange à base de chou.

Relish maison

Coupe en gros morceaux 4 tomates, 1 grosse pomme (pelée et débarrassée de son trognon) et 1 oignon. Mets-les dans une casserole avec 75 ml (⅓ tasse) de vinaigre de vin blanc et 30 ml (2 cuil. à soupe) de sucre. Porte le tout à ébullition, puis baisse le feu, couvre et laisse mijoter pendant 15 min. Retire le couvercle et laisse cuire pendant encore 20 min environ.

Beurre de noix

Dispose 175 ml (⅔ tasse) d'arachides, de noix de cajou ou de noisettes décortiquées dans une poêle sans ajouter de graisse. Fais-les griller pendant 2-3 min à feu moyen-doux jusqu'à ce qu'elles soient dorées (remue souvent pour éviter qu'elles ne brûlent). Réduis-les en petits morceaux. Ajoute 45-60 ml (3-4 cuil. à soupe) d'huile de tournesol et mélange jusqu'à l'obtention d'une pâte grossière. Conserve le tout dans un récipient hermétique.

Soupe miso

On fait le miso à partir de graines de soya fermentées. C'est très nourrissant. Si tu veux une soupe plus copieuse, ajoute des nouilles aux œufs déjà cuites ou de fines tranches d'oignon vert, de carotte et de poivron rouge.

Pommes de terre en robe des champs

Préchauffe le four à 200 °C (400°F). Nettoie les pommes de terre, puis enveloppe-les dans du papier d'aluminium. Laisse cuire 45 min-1 h, jusqu'à ce qu'elles soient tendres à l'intérieur. Accompagne-les de thon, de maïs doux ou de poivrons.

Chowder au maïs

Inspirée d'une soupe épaisse de la Nouvelle-Angleterre, aux États-Unis, le chowder, voici une recette idéale pour te rassasier par temps froid. Même si d'ordinaire cette soupe comporte du poisson, cette version simple est pleine de pommes de terre nourrissantes, de maïs en grains et de carottes. Elle est délicieuse accompagnée des petits pains des pages 122-123.

Petite astuce

Si tu préfères une soupe plus épaisse, saute l'étape 5. Pour une soupe onctueuse, mélange le tout comme indiqué à l'étape 5.

Ingrédients

Pommes de terre

- 1 gros oignon
- 1 grosse carotte
- 350 g (12 oz) de pommes de terre
- 15 ml (1 cuil. à soupe) d'huile de tournesol
- 375 ml (1½ tasse) de maïs en grains, surgelé ou en boîte

Oignon

- 5 ml (1 cuil. à thé) d'herbes de Provence (facultatif)
- 1 feuille de laurier
- 1,25 l (5 tasses) de bouillon de légumes
- 300 ml (1¼ tasse) de lait
- du sel et du poivre

Carotte

Ustensiles

Épluche-légumes

- un petit couteau tranchant
- un épluche-légumes
- une planche à découper
- une grande casserole avec un couvercle
- une cuillère en bois
- un mélangeur

Cuillère en bois

1 Pèle et coupe les oignons en morceaux grossiers. Nettoie les carottes et coupe-les en fines rondelles. Pèle les pommes de terre et coupe-les en petits morceaux.

2 Fais chauffer l'huile dans une casserole. Ajoute l'oignon et fais revenir le tout à feu doux pendant 8 min. Remue de temps à autre.

3 Ajoute le maïs, la carotte, les pommes de terre, les herbes de Provence et le laurier. Fais cuire 2 min en remuant. Ajoute le bouillon et porte le tout à ébullition.

Fais le plein d'énergie avec cette soupe copieuse !

Autres possibilités

Pour donner un succulent petit goût de fumé à ta soupe, ajoute à l'étape 4 quelques morceaux de hareng fumé avec le lait et laisse frémir pendant 5 min, jusqu'à ce que le tout soit cuit.

Informations nutritionnelles

Riche en féculents complexes, le maïs est une excellente source de vitamines A, B et C. Tu peux prendre du maïs en boîte, si tu veux, mais assure-toi qu'il est bien sans sucre ni sel ajoutés.

Maïs en grains

4 Réduis le feu. Pose le couvercle sur ta casserole et laisse cuire pendant 15 min en remuant de temps à autre. Ajoute le lait et laisse mijoter pendant 5 min.

5 Enlève quelques légumes, puis réduis en purée le reste de la soupe. Réchauffe les légumes et la soupe en purée dans la casserole.

Salade pique-nique

Voici une version simplifiée de la salade grecque traditionnelle. Tu peux remplacer le feta par n'importe lequel de tes fromages préférés comme le cheddar, la mozzarella ou le brie, et ajouter d'autres ingrédients : olives, poivrons, oignons rouges et laitue.

Autres possibilités

Les pois cassés, les pois chiches ou les haricots rouges se substitueront parfaitement au fromage. Le thon, le saumon ou les crevettes seraient tout aussi délicieux.

Ingrédients
• 2 pains pitas de blé entier
• 1 petit concombre
• 12 petites tomates (coupées en 4)
• ½ oignon rouge (coupé en fines rondelles)
• 150 g (5 oz) de feta (coupé en dés)

Pain pita

Assaisonnement
• 45 ml (3 cuil. à soupe) d'huile d'olive
• 15 ml (1 cuil. à soupe) de jus de citron ou de vinaigre de vin blanc
• 7 ml (½ cuil. à soupe) de moutarde de Dijon

Oignon

Tomates

Concombre

Ustensiles
• un petit couteau tranchant
• une planche à découper
• un pot de confiture vide et propre
• un saladier

Saladier

Couteau tranchant

1 Coupe tes pitas dans le sens de la largeur de manière à former une poche. Fais-les griller des deux côtés jusqu'à ce que tes pains soient croustillants et bien dorés.

2 Coupe le concombre en deux dans le sens de la longueur, puis enlève les graines. Coupe dans le sens de la largeur avant de les couper en dés.

3 Dispose le concombre, les tomates et l'oignon rouge dans un saladier. Ajoute le pain pita en petits morceaux.

Quelques feuilles de menthe accompagneront très bien cette salade.

4 L'assaisonnement : verse l'huile d'olive, le jus de citron et la moutarde dans un bocal. Agite jusqu'à ce que les ingrédients soient bien mélangés.

5 Verse l'assaisonnement sur la salade avant de la mélanger à la main (lave-toi les mains avant!). Ajoute enfin les morceaux de feta. C'est prêt !

Informations nutritionnelles

On ne fabrique le véritable feta qu'en Grèce. Traditionnellement, on le faisait à base de lait de brebis, mais on le produit désormais avec du lait de vache ou de chèvre. Le feta est une excellente source de calcium et de protéines. Cependant, c'est aussi un aliment très gras et il faut donc le consommer avec modération.

Feta

Tartelettes aux œufs et au jambon

Ces petites tartelettes sont très simples à confectionner et ce sont des délices. À servir avec des tomates mûres et juteuses ou une salade croquante. C'est un plat idéal pour le brunch.

Autres possibilités

Dans la version végétarienne de ce plat, on remplace le jambon par 4 gros portobellos. Lave les champignons avant de les disposer sur une grande plaque légèrement huilée. Puis suis les étapes 3 et 4.

Ingrédients
- un peu d'huile végétale
- 4 tranches de jambon maigre
- 4 œufs

Œufs

Ustensiles
- un pinceau à pâtisserie
- un moule à muffins
- des ciseaux de cuisine
- un petit bol
- des gants de cuisine
- une spatule

Gants de cuisine

1 Préchauffe le four à 200 °C (400°F). Badigeonne légèrement 4 trous d'un moule à muffins avec un peu d'huile végétale. Cela évitera que le jambon attache au fond du moule.

Informations nutritionnelles

Œuf à la coque

On peut cuisiner les œufs de multiples façons. Dans cette recette, on les fait rôtir au four jusqu'à ce qu'ils soient fermes, mais on peut aussi les faire frire, les faire bouillir, les servir brouillés ou pochés. Pour savoir si un œuf est frais, il suffit de le plonger dans l'eau. S'il coule au fond, c'est qu'il est frais.

2 Dispose une tranche de jambon dans chaque trou. Découpe chaque tranche en prenant bien soin de laisser dépasser un peu le jambon du moule.

3 Casse un œuf à la fois dans un petit bol et verse-le dans une enveloppe de jambon. Fais rôtir le tout au four pendant 10-12 min.

4 À l'aide de gants de cuisine, retire le moule du four et laisse-le refroidir pendant quelques minutes. Démoule chaque tartelette à l'aide d'une spatule.

Quesadillas au thon et salade de carottes

Les quesadillas sont faciles à préparer et on peut les garnir de multiples ingrédients. Mieux encore, elles sont aussi délicieuses froides que chaudes.

Autres possibilités

Pour une version végétarienne tout aussi festive, essaie le pesto, les tomates coupées et le mozzarella. Tu peux aussi essayer la garniture de haricots des pages 60-61.

Ingrédients

- 2 tortillas à la farine de maïs
- 60 g de thon au naturel en boîte (égoutté)
- 40 g (1½ oz) de cheddar vieilli (râpé)
- 2 oignons verts
- ½ poivron orange (épépiné et coupé en petits morceaux)
- 1 filet d'huile d'olive

Cheddar

Salade de carottes

- 1 grosse carotte
- 30 ml (2 cuil. à soupe) de raisins secs
- 15 ml (1 cuil. à soupe) de pignons
- 15 ml (1 cuil. à soupe) d'huile d'olive
- 10 ml (2 cuil. à thé) de jus de citron

Oignons verts

Poivron orange

Ustensiles

- une cuillère
- une planche à découper
- une poêle à frire
- une spatule
- deux assiettes
- un petit couteau tranchant
- une fourchette
- une râpe
- deux bols

Planche à découper

Poêle à frire

1 Étale l'une des tortillas sur une surface propre et sèche. Dispose le thon par-dessus en prenant soin de laisser une bordure de 2 cm tout autour.

2 Saupoudre le cheddar sur le thon. Ajoute ensuite les oignons verts et le poivron orange. Pose la seconde tortilla par-dessus et appuie fermement.

Informations nutritionnelles

Le thon est un poisson gras qui contient des acides oméga 3, bons pour le cerveau, les yeux et la peau. Il apporte aussi des vitamines B, D et E.

Thon

3 Badigeonne une grande poêle avec de l'huile d'olive. Fais cuire la quesadilla pendant 2 min à feu moyen. Appuie dessus pour bien faire fondre le fromage.

4 Il faut que tu retournes la quesadilla. Fais-la glisser sur une grande assiette. Place une autre assiette par-dessus, puis retourne le tout avec précaution.

5 Replace soigneusement la quesadilla dans la poêle et fais cuire l'autre côté pendant 2 min. Une fois qu'elle est cuite, retire-la de la poêle et découpe-la en parts.

Le savais-tu ?

C'est au 7e siècle, en Afghanistan, qu'on a cultivé des carottes pour la première fois. À cette époque, elles étaient rouges, noires, jaunes, blanches ou violettes, mais pas orange.

1 Râpe soigneusement la carotte avant de la mettre dans un saladier. Ajoute les raisins secs et les pignons, puis mélange le tout.

2 Pour confectionner la vinaigrette, mélange l'huile d'olive et le jus de citron à l'aide d'une fourchette. Verse la sauce sur ta salade, puis mélange.

Salade de fruits de mer dé

Des protéines, des féculents, des vitamines, des sels minéraux, des acides gras bons pour la santé… cette salade en regorge ! Au rayon vert, les avocats contiennent plus de protéines que n'importe quel autre fruit. Ils sont riches en bêta-carotène et en vitamine E. Au rayon rouge, les tomates sont excellentes pour ton système immunitaire et t'apportent les vitamines A, C et E.

Infos santé

Si tu n'aimes pas les crevettes ou que tu n'en trouves pas, le poulet cuit sera un bon substitut. Les végétariens peuvent aussi opter pour le tofu ou les pignons.

Ingrédients

- 150 g de pâtes coquilles
- 1 gros avocat
- 250 g (½ lb) de crevettes cuites
- 12 petites tomates (coupées en 4)
- des feuilles de laitue (coupées en lanières)

Tomates

Assaisonnement

- 60 ml (4 cuil. à soupe) de mayonnaise
- 10 ml (2 cuil. à thé) de jus de citron
- 30 ml (2 cuil. à soupe) de ketchup
- 2 gouttes de tabasco (facultatif)
- du sel et du poivre

Avocats

Coquilles

Ustensiles

- une grande casserole
- une cuillère en bois
- un petit couteau tranchant
- une planche à découper
- un saladier
- un petit bol

Saladier

Planche à découper

1 Porte une grande casserole d'eau à ébullition. Ajoute les pâtes, puis suis les instructions sur le paquet. Égoutte-les bien et laisse-les refroidir.

2 Coupe soigneusement l'avocat par le milieu et ouvre-le doucement. Retire le noyau avec une petite cuillère, puis coupe chaque moitié en 4.

3 Pèle la peau et coupe l'avocat en morceaux. Place-le dans un saladier et verse la moitié du jus de citron par-dessus pour éviter que le fruit brunisse.

...cieuse

Les avocats sont riches en gras, mais il s'agit d'acides monosaturés, bons pour la santé.

Le savais-tu ?

On a commencé à cultiver les avocats en Amérique du Sud. On croyait que c'était une princesse maya qui avait mangé le premier avocat et que ce fruit avait des pouvoirs magiques.

Informations nutritionnelles

Comme tous les crustacés, les crevettes regorgent de sels minéraux et elles ont une saveur incomparable. Elles contribuent à renforcer ton système immunitaire, car elles contiennent des sels minéraux essentiels comme le zinc et le sélénium.

Crevettes

4 Mets les tomates, l'avocat et les crevettes dans un saladier avec les pâtes. Répartis les feuilles de laitue coupées entre les deux bols de service.

5 Mélange tous les ingrédients de la vinaigrette dans un petit bol. Verse la salade de pâtes dans les deux bols de service. Nappe le tout de vinaigrette.

Soupe de pâtes à l'italienne

Cette recette délicieuse s'inspire d'une soupe italienne traditionnelle : la minestrone.
Avec des pâtes, des légumes et, pour finir, du parmesan, c'est un repas complet en un seul bol !

À l'origine, ce sont les Italiens les plus pauvres qui mangeaient la minestrone. On y mettait les ingrédients qu'on avait sous la main.

Délicieux petits tours

Ceux qui aiment la viande pourront ajouter du bacon à cette soupe, mais attention à bien le faire cuire à l'étape 3. Les haricots, les haricots verts, les courgettes ou les poivrons conviennent aussi parfaitement.

Pommes de terre

Ingrédients

- 75 g de farfalles
- 1 gros oignon ∅
- 2 pommes de terre
- 2 bâtonnets de céleri
- 1 grosse carotte (lavée)
- 15 ml (1 cuil. à soupe) d'huile d'olive
- 5 ml (1 cuil. à thé) d'origan séché
- 1 feuille de laurier ∅
+ maïs

- 1 l (4 tasses) de bouillon de légumes (2T. bouillon boeuf +2T. jus tomates étuvées)
- 625 ml (2½ tasses) de tomates coupées (étuvées)
- du parmesan râpé

+ coriandre ds bouillon
+ épices couscous
+ safran
+ sel & poivre

Farfalles

Carotte

Ustensiles

- une casserole de taille moyenne
- une cuillère en bois
- un petit couteau tranchant
- une planche à découper
- une grande casserole dotée d'un couvercle
- une louche

Louche

Casserole

9,9/10 si ∅ pâtes 10/10 (yanouk)

1 Porte une casserole d'eau à ébullition avant d'ajouter les pâtes. Laisse frémir jusqu'à ce qu'elles commencent à peine à ramollir, sans qu'elles soient complètement cuites. Égoutte-les bien.

2 Coupe l'oignon. Pèle les pommes de terre et coupe-les en dés. Coupe aussi le céleri et la carotte en dés.

Le savais-tu ?

Nombreux sont ceux qui croient que c'est l'explorateur vénitien Marco Polo qui importa les pâtes en Italie à son retour de Chine, au 13ᵉ siècle. En fait, on mange des pâtes depuis la Rome antique !

Astuce pratique

Lorsque tu égouttes les pâtes à l'étape 1, rince-les à l'eau froide pour éviter qu'elles collent et continuent à cuire.

3 Fais chauffer l'huile d'olive dans une grande casserole. Ajoute l'oignon et fais-le frire à feu moyen pendant 8 min, jusqu'à ce qu'il ait pris une couleur dorée.

4 Ajoute ensuite le céleri, la carotte, les pommes de terre, l'origan et la feuille de laurier. Ajoute le bouillon de légumes et les tomates. Porte le tout à ébullition.

5 Lorsque la soupe bouillonne, réduis le feu à doux. Couvre à moitié la casserole avec un couvercle et laisse frémir la soupe pendant 15 min.

6 Ajoute les pâtes et remue bien. Fais chauffer pendant 5 min. Verse la soupe à la louche dans de grands bols et saupoudre le tout de parmesan.

Informations nutritionnelles

Les pâtes sont des féculents et donnent de l'énergie au corps. Elles apportent aussi des protéines en petite quantité. Mieux vaut utiliser des pâtes de blé entier, plus riches en fibres, en vitamines et en sels minéraux.

Pâtes de blé entier

Pitas garnis

Le tofu s'emploie de multiples manières et c'est un ingrédient très nourrissant. Il a une saveur douce au naturel, mais prend celle de la marinade dans laquelle on le plonge. La sauce de cette recette donnera au tofu un délicieux goût de viande cuite au barbecue ainsi qu'une belle couleur dorée.

Le savais-tu ?

Le tofu est une pâte de soya. On fait cuire les graines de soya, on les réduit en purée, puis on les égoutte pour obtenir un liquide laiteux. On mélange ce liquide à un coagulant, ce qui donne une substance qui ressemble à du fromage.

Ingrédients

Tofu

Pains pitas

- 250 g (½ lb) de tofu ferme
- un peu d'huile d'olive
- 4 pains pitas de blé entier (réchauffés dans un grille-pain ou un four chaud)
- 3 feuilles de laitue romaine (coupées)
- 2 oignons verts (pelés et coupés en longues lanières)

- 1 poignée de luzerne
- du cresson (facultatif)

Marinade

- 30 ml (2 cuil. à soupe) de sauce chili
- 30 ml (2 cuil. à soupe) de ketchup
- 30 ml (2 cuil. à soupe) de sauce soya
- 2 ml (½ cuil. à thé) de cumin moulu

Ustensiles

- un petit couteau tranchant
- une planche à découper
- du papier absorbant
- un plat peu profond
- une poêle à griller
- une spatule ou des pinces

Poêle à griller

Pinces

1 Dans un plat peu profond, mélange tous les ingrédients de la marinade. Éponge le tofu avec du papier absorbant, puis coupe-le en 8 longues tranches.

2 Place le tofu dans le plat avec la marinade. Enrobe-le bien de liquide et laisse-le mariner pendant 1 h.

3 Badigeonne la poêle avec une bonne quantité d'huile d'olive avant de la poser sur le feu. Dispose les quatre tranches de tofu dans la poêle bien chaude.

Tu peux utiliser les marinades des pages 74-75 et 78-79.

Autres possibilités

Tu peux remplacer le tofu par des morceaux de poulet, de porc, de dinde ou de bœuf, ou même par un mélange de légumes tels que poivrons, courgettes et oignons.

Informations nutritionnelles

La luzerne est une graine aux germes longs et fins. C'est l'un des rares végétaux qui soient une source complète de protéines et aussi de vitamines B et C.

Luzerne

4 Fais cuire le tofu pendant 4 min de chaque côté, jusqu'à ce qu'il soit bien doré. Pendant la cuisson, arrose-le de marinade. Fais cuire les 4 autres tranches.

5 Découpe chaque pita sur un côté. Répartis la laitue, les oignons verts et la luzerne entre chaque pain, puis ajoute 2 morceaux de tofu.

Crêpes épaisses

Ces crêpes salées sont idéales pour un repas léger ou un brunch délicieux.

Astuces pratiques

Garde le bacon et les crêpes au chaud dans le four pendant que tu fais cuire les autres. Elles seront délicieuses accompagnées de guacamole.

Le savais-tu ?

Le maïs fait partie de la même famille que l'herbe. Ce n'est pas vraiment un légume, mais une céréale. Un épi compte en moyenne 800 grains disposés sur 16 rangées.

Ingrédients

Farine de blé entier

- 125 ml (½ tasse) de lait
- 1 œuf
- 250 ml (1 tasse) de farine tout usage ou 175 ml (¾ tasse) de farine de blé entier
- 5 ml (1 cuil. à thé) de bicarbonate de soude
- 5 ml (1 cuil. à thé) de poudre à pâte
- 250 ml (1 tasse) de babeurre
- 150 ml (⅓ tasse) de maïs en grains (frais, surgelé ou en boîte)
- 8 tranches de bacon maigre
- 15 ml (1 cuil. à soupe) d'huile de tournesol
- du sel et du poivre

Maïs en grains

Bacon

Ustensiles

Fouet

- une tasse à mesurer
- une fourchette ou un fouet
- une passoire
- un grand saladier
- une cuillère en bois
- du papier d'aluminium
- une grande poêle
- une louche
- une spatule

Poêle à frire

1 Verse le lait dans la tasse à mesurer. Casse l'œuf directement dans la tasse. Mélange le lait et l'œuf à l'aide d'un fouet ou d'une fourchette.

2 Tamise la farine, le bicarbonate de soude, la poudre à pâte et une pincée de sel au-dessus d'un grand saladier. Creuse un puits au centre.

3 Verse le mélange à base de lait et d'œuf dans le puits au centre de la farine avant d'ajouter le babeurre et le maïs.

4 Bats doucement les ingrédients jusqu'à ce qu'ils soient bien incorporés. Recouvre le tout d'une assiette et laisse reposer.

5 Tapisse une plaque de cuisson avec du papier d'aluminium. Place le bacon sous le gril et fais-le cuire pendant 2-3 min de chaque côté, jusqu'à ce qu'il soit croustillant.

6 Fais chauffer la moitié de l'huile dans la poêle, puis verse la pâte à la louche pour faire des crêpes d'environ 10 cm (4 po) de diamètre, en espaçant bien chaque crêpe.

7 Fais cuire pendant 2-3 min jusqu'à ce que les crêpes soient bien dorées dessous. Retourne-les, puis fais cuire l'autre côté. Prépare ainsi 12 crêpes.

Informations nutritionnelles

Comme tous les produits laitiers, le lait est une excellente source de calcium et de phosphore, deux éléments essentiels pour avoir des dents et des os sains. Il y a autant de calcium dans du lait à 3,25 % que dans du lait à 1 %. Le lait apporte aussi du zinc et des vitamines B, ainsi que des anticorps, qui aident ton corps à renforcer ses défenses immunitaires et le système digestif.

Lait

Mini-pizzas

Traditionnellement, on fait la pâte à pizza avec de la levure pour l'aider à lever. La pâte de ces mini-pizzas sans levure ne nécessite aucun pétrissage ; mais elles n'en seront pas moins croustillantes et légères.

Autres possibilités

Tu peux ajouter n'importe laquelle de tes garnitures préférées à l'étape 7 : cheddar, champignons, poivrons, oignons, roquette, thon, crevettes, jambon, olives, pepperonis et poulet.

Ingrédients

Farine

• 675 ml (2¾ tasses) de farine tout usage ou 500 ml (2 tasses) de blé entier (et 1 pincée pour le saupoudrage)
• 10 ml (2 cuil. à thé) de poudre à pâte
• 2 ml (½ cuil. à thé) de sel
• 125-150 ml (½-⅓ tasse) de lait à 2 %

• 60 ml (4 cuil. à soupe) d'huile d'olive

Garniture

• de la sauce tomate (p. 68-69)
• 150 g (5 oz) de bocconcinis égouttés
• 50 ml (¼ tasse) de cheddar vieilli (râpé)

Bocconcini

Ustensiles

• une passoire
• un grand saladier
• une cuillère en bois
• deux grandes plaques à pâtisserie
• un rouleau à pâtisserie
• une cuillère à soupe

Passoire

Saladier

Rouleau à pâtisserie

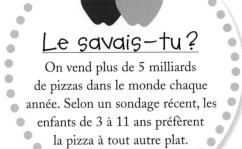

1 Fais préchauffer le four à 200 °C (400°F). Tamise la farine, la poudre à pâte et le sel au-dessus d'un saladier, puis creuse un puits au centre.

2 Verse le lait et l'huile dans le puits. Mélange à l'aide d'une cuillère en bois jusqu'à ce que la farine et les liquides forment une pâte molle.

3 Saupoudre un peu de farine sur ta table de travail. Mets-en aussi dans tes mains. Sors la pâte du bol et pétris-la pendant environ 1 min pour former une boule lisse.

4 Saupoudre les plaques de farine. Divise la pâte en 4 boules. À l'aide d'un rouleau à pâtisserie, abaisse chaque boule pour former un cercle de 15 cm (6 po) de diamètre.

Informations nutritionnelles

Le fromage apporte de précieuses quantités de protéines et de calcium. Cependant, il contient beaucoup d'acides gras saturés, surtout celui à pâte dure. Essaie d'en consommer modérément. Opte pour des fromages vieilli, car leur saveur prononcée signifie qu'une petite quantité est suffisante.

Cheddar

5 Dispose 2 cercles de pâte sur chaque plaque. Verse 15-30 ml (1-2 cuil. à soupe) de sauce tomate sur chaque cercle.

6 Étale la sauce tomate avec le dos de la cuillère sur presque toute la surface de la pâte. Coupe les bocconcinis en 8 à 12 tranches.

7 Ajoute les bocconcinis et les autres garnitures. Ajoute enfin le cheddar. Fais cuire les pizzas pendant 10 min, jusqu'à ce que la pâte ait levé et soit bien dorée.

Burgers maison

Ce délicieux burger de dinde faible en gras est encore meilleur sur un petit pain rond riche en fibres. Tu n'en feras qu'une bouchée !

Autres possibilités

Les végétariens peuvent suivre la recette du burger végétarien (p. 34), et les autres peuvent essayer le porc, le bœuf ou l'agneau haché.

Voir page 35 la recette de relish maison.

Ingrédients

Pommes

Farine de blé entier

- 1 petit oignon
- 1 pomme
- 500 g (1 lb) de steak haché de dinde, de poulet, de bœuf, de porc ou d'agneau maigre
- 1 petit œuf
- du sel et du poivre
- de la farine de blé entier

Pour servir

- des petits pains aux graines (de blé entier, de préférence)
- des feuilles de laitue
- des tomates tranchées
- relish maison (p. 35)

Petit pain

Feuilles de laitue

Ustensiles

- une râpe
- un saladier
- une cuillère en bois
- un petit bol
- une fourchette ou un fouet
- de la pellicule de plastique
- une grande assiette
- du papier d'aluminium
- des pinces

Cuillère en bois

Saladier

1 Pèle, puis coupe l'oignon en petits morceaux. Râpe la pomme avec sa peau en copeaux grossiers. Tu auras fini lorsque tu seras arrivé au trognon et aux pépins.

2 Mets l'oignon et la pomme dans un saladier et ajoute la viande. Incorpore bien le tout à la cuillère ou à la main.

3 Casse l'œuf dans le petit bol, puis bats légèrement le blanc et le jaune à l'aide d'une fourchette ou d'un fouet. Cela contribuera à faire tenir ensemble le pâté de viande.

4 Verse l'œuf battu dans le mélange d'oignon, de pomme et de viande hachée. Assaisonne le tout, puis mélange bien avec tes mains (propres!).

5 Saupoudre légèrement une assiette de farine. Mets-en aussi dans tes mains. Prends une poignée de ton mélange, façonne-le en une petite galette plate et ronde.

6 Recommence avec le reste du mélange, puis saupoudre de farine les 6 burgers. Couvre-les de pellicule de plastique et réserve-les au frigo pendant 30 min au moins.

Informations nutritionnelles

La dinde contient toute une série de précieux nutriments, y compris du fer, du zinc et du sélénium. C'est une source de vitamines B, essentielles pour la digestion des aliments. Elle est aussi riche en protéines et faible en gras : c'est l'une des viandes les plus saines qui soient.

Dinde hachée

7 Fais préchauffer le gril du four à moyen. Dispose les burgers sur une plaque couverte de papier d'aluminium, puis fais-les cuire pendant 8 min de chaque côté.

Pizza sans peine

Améliore une pizza du commerce en y ajoutant d'autres garnitures. Le maïs en grains, les champignons, les olives, les poivrons ou les épinards apportent des vitamines tandis que le jambon, les œufs, le thon ou les crevettes sont d'excellentes sources de protéines.

Salade de pâtes

La salade peut se transformer en plat principal. Fais cuire 125 g de pâtes, puis ajoute 60 ml (4 cuil. à soupe) de pesto (p. 64-65). Coupe 150 g (50 oz) de bocconcinis en petits morceaux et ajoute-les aux pâtes en remuant. Ajoute une poignée de feuilles de basilic et 12 tomates cerises coupées en deux. Enfin, parsème le tout de quelques pignons.

Repas principaux

La clé d'un repas sain, c'est l'équilibre. Imagine que ton assiette se divise en trois parties. Un féculent comme les pâtes, les pommes de terre ou le riz devrait constituer la plus grosse partie de ton repas ; il faut aussi des protéines, apportées par la viande rouge, le poisson, la volaille, les œufs, les noix ou les légumineuses ; et enfin des légumes. Mange au moins deux heures avant d'aller te coucher pour donner le temps à ton corps de digérer la nourriture comme il faut. Tu trouveras de nombreuses recettes dans ce chapitre, mais voici déjà quelques idées simples pour titiller tes papilles.

Saucisses et légumes rôtis

Fais préchauffer le four à 200 °C (400°F). Dispose des morceaux de courge musquée, de pommes de terre et d'oignons ainsi que quelques saucisses dans un plat en arrosant le tout de 15 ml (1 cuil. à soupe) d'huile d'olive. Fais rôtir pendant 20 min. Retire le plat du four, retourne les légumes et les saucisses pour qu'ils dorent de chaque côté, puis ajoute quelques tomates cerises. Remets au four pendant 10-15 min.

Légumes vapeur

Les légumes vapeur cuisent au bain-marie et non dans l'eau. Cela préserve de nombreuses vitamines, notamment celles qui sont solubles dans l'eau.

Couscous

Le couscous change du riz ou des pâtes. Mets 250 ml (1 tasse) de semoule dans un saladier. Verse ensuite assez d'eau bouillante ou de bouillon pour recouvrir toute la semoule. Remue à la fourchette, puis laisse reposer pendant 5-10 min, jusqu'à ce que le liquide ait été absorbé. Remue le couscous à la fourchette avant de servir.

Noix variées et graines

Ajoute une poignée de noix, de noisettes, etc., ainsi que des graines à tes salades. Une petite quantité suffit à faire grimper le taux de vitamines B et E, de fer, de zinc et d'oméga 6. Les noix et les graines de citrouille contiennent aussi des oméga 3.

Haricots blancs à la sauce tomate

Mélange dans une casserole 300 ml (1¼ tasse) de haricots blancs en boîte (égouttés et rincés), 150 ml (⅓ tasse) de passata (tomates filtrées à la passoire), 5 ml (1 cuil. à thé) de moutarde, 15 ml (1 cuil. à soupe) d'huile d'olive, de sauce Worcestershire, de sirop d'érable et de pâte de tomates. Porte à ébullition, puis réduis le feu. Couvre la casserole à moitié, puis laisse mijoter 15-20 min jusqu'à ce que la sauce ait épaissi. Remue de temps à autre.

Poêlée de légumes

Coupe les ingrédients en morceaux de la même taille pour qu'ils cuisent à la même vitesse, puis ajoute un peu d'huile. Les carottes, les poivrons, les pois mange-tout, les courgettes, les champignons, les oignons et les germes de soya sont parfaits pour ce plat.

Purée de pommes de terre

Pour une délicieuse purée colorée, ajoute des carottes, du céleri-rave, de la courge, du rutabaga ou de la patate douce. Utilise la même quantité de légumes que de pommes de terre. Fais cuire dans de l'eau bouillante pendant 15-20 min. Égoutte-les avant de les remettre dans la casserole pour les écraser et en faire une purée.

Pâtes au thon

Le thon est une bonne source de protéines, faible en gras. On l'ajoute souvent aux pâtes en Italie. Même si le thon en boîte contient un peu moins d'oméga 3 que le poisson frais, il apporte malgré tout quantité d'ingrédients bons pour le fonctionnement du cerveau. Mieux encore, ce plat se prépare en quelques minutes !

Autres possibilités

Accompagne ce plat d'un légume vert, par exemple des brocolis à la vapeur : la vitamine C de la sauce tomate aidera ton corps à assimiler le fer contenu dans les brocolis. Pour augmenter le taux de protéines, ajoute quelques haricots en boîte, des pois cassés par exemple.

Ingrédients

- 275 g de farfalles
- 30 ml (2 cuil. à soupe) d'huile d'olive
- 2 gousses d'ail (écrasées)
- 5 ml (1 cuil. à thé) d'origan séché (facultatif)
- 1,25 l (5 tasses) de tomates en dés, en boîte
- 10 ml (2 cuil. à thé) de pâte de tomates
- 200 g de thon à l'huile d'olive (égoutté et coupé en morceaux)
- 2 ml (½ cuil. à thé) de sucre (facultatif)
- du sel et du poivre

Ail

Farfalles

Ustensiles

Égouttoir

- une grande casserole
- un petit couteau tranchant
- une planche à découper
- une casserole de taille moyenne et son couvercle
- une cuillère en bois
- un égouttoir
- une cuillère à soupe

Casserole

1 Porte une grande casserole d'eau à ébullition. Ajoute les pâtes et laisse cuire jusqu'à ce qu'elles soient tendres.

2 Pendant ce temps, fais chauffer l'huile dans une casserole à feu moyen. Fais frire l'ail 1 min. Ajoute l'origan, les tomates coupées et la pâte de tomates en remuant.

3 Porte la sauce à ébullition et réduis le feu. Couvre à moitié la casserole et laisse mijoter pendant 15 min, jusqu'à ce que la sauce ait réduit d'un tiers.

Tu n'as besoin d'ajouter du sucre à l'étape 4 que si les tomates sont un peu trop acides.

Informations nutritionnelles

Les tomates doivent leur couleur rouge au lycopène. C'est l'un des rares nutriments que le corps absorbe mieux lorsqu'il est cuit ou concentré, comme dans une purée ou une sauce. Excellent pour renforcer nos défenses immunitaires et nous aider à combattre les rhumes, le lycopène est un antioxydant essentiel.

Tomates

4 Ajoute le thon. Couvre la casserole à moitié et fais chauffer le tout pendant 2 min en remuant de temps à autre. Ajoute du sucre, s'il y a lieu. Assaisonne.

5 Égoutte les pâtes, mais garde 30 ml (2 cuil. à soupe) d'eau. Remets les pâtes dans la casserole, ajoute l'eau et la sauce. Remue pour que les pâtes soient bien enrobées.

Burritos aux haricots variés

Un burrito est un plat mexicain délicieux qui se compose d'une tortilla roulée et farcie de viande et de légumes.

Le guacamole est le compagnon idéal de ce plat.

Ingrédients

- 15 ml (1 cuil. à soupe) d'huile d'olive
- 1 gros oignon
- 5 ml (1 cuil. à thé) d'origan séché
- 625 ml (2½ tasses) de tomates coupées en boîte
- 15 ml (1 cuil. à soupe) de pâte de tomates
- 5 ml (1 cuil. à thé) de cumin moulu
- 625 ml (2½ tasses) de haricots mélangés en boîte (égouttés et rincés)
- quelques gouttes de tabasco (facultatif)
- du sel et du poivre

Pour servir
- 4 tortillas à la farine de blé
- 50 ml (¼ tasse) de cheddar vieilli (râpé)
- du guacamole du commerce (facultatif)

Cheddar

Ustensiles

- une casserole de taille moyenne
- un petit couteau tranchant
- une planche à découper et son couvercle
- une grande cuillère
- une spatule ou une cuillère en bois

Planche à découper

Oignon

Tortillas

Casserole

1 Fais chauffer l'huile dans une casserole. Ajoute l'oignon, puis laisse cuire pendant 8 min en remuant de temps en temps jusqu'à ce qu'il ait légèrement bruni.

2 Ajoute l'origan, les tomates coupées, la pâte de tomates et le cumin. Ajoute les haricots, remue et porte à ébullition.

Autres possibilités

Pour faire une garniture à la viande, remplace les haricots par 375 g (¾ lb) de bœuf haché. Suis l'étape 1, puis fais frire la viande pendant 5 min à l'étape 2. Continue en suivant les étapes 3 à 6.

3 Lorsque des bouillons commencent à se former, réduis le feu à doux. Couvre à moitié avec un couvercle et laisse mijoter pendant 10 min.

4 Goûte et ajoute du sel et du poivre, ainsi que quelques gouttes de tabasco, si tu veux. Laisse cuire pendant encore 5 min en remuant de temps à autre.

Informations nutritionnelles

Les haricots sont des légumineuses. Ils apportent une excellente combinaison de féculents et de protéines, et ils sont faibles en gras. Les haricots comptent aussi pour une portion sur les cinq recommandées au quotidien (p. 8–9).

Haricots mélangés

Le savais-tu?

« Burrito » signifie « petit âne » en espagnol. On pense que ce nom vient du fait qu'une tortilla roulée ressemble à l'oreille d'un âne !

5 Réchauffe les tortillas au micro-ondes. Dépose chaque tortilla dans une assiette, puis ajoute le ragoût de haricots. Parsème de cheddar et d'une noix de guacamole.

6 Replie la tortilla avant de l'enrouler sur elle-même pour former un burrito bien serré.

Pilons de poulet

La marinade au yogourt donne aux pilons une saveur légèrement épicée et contribue à les rendre tendres et savoureux. Une salade verte et un nan chaud suffiront pour accompagner ce plat.

Ces pilons seraient tout aussi délicieux cuits au barbecue.

Citron

Ingrédients

• 4 pilons de poulet sans la peau

Marinade

• le jus d' ½ citron
• 125 ml (½ tasse) de yogourt nature
• 30 ml (2 cuil. à soupe) de pâte de cari tandoori

Laitue

• 15 ml (1 cuil. à soupe) d'huile de tournesol

Pour servir

• du chutney de mangue (facultatif)
• 4 petits pains nans
• de la laitue

Nans

Ustensiles

• du papier absorbant
• une cuillère
• un grand plat à lasagne
• un saladier
• de la pellicule de plastique
• une plaque de cuisson
• un pinceau à pâtisserie
• des pinces
• des gants de cuisine

Gants de cuisine

1 Éponge le poulet avec du papier absorbant. Effectue 3 profondes incisions dans chaque pilon, puis dispose-les dans le plat à lasagne. Presse le citron sur les pilons.

2 Place le yogourt et la pâte de cari tandoori dans un saladier pour les mélanger. Verse la marinade de yogourt sur le poulet et enrobe-le bien.

Autres possibilités

Si tu préfères la viande désossée, opte pour des poitrines de poulet. Suis les étapes 1-4, puis fais cuire les poitrines pendant 20-25 min jusqu'à ce qu'elles soient à point.

Le savais-tu ?

Les épices proviennent des graines, des fruits, des gousses, de l'écorce ou des bourgeons de certaines plantes. Elles ont même servi de monnaie d'échange dans certains pays.

3 Recouvre le plat de pellicule de plastique et réserve-le au frigo 1 h pour que le poulet marine bien. Après 50 min, fais préchauffer ton four à 200 °C (400 °F).

4 Badigeonne une plaque avec de l'huile d'olive. Dispose les pilons sur la plaque et fais-les cuire au four pendant 15 min.

5 Après 15 min, retourne le poulet et arrose-le avec le restant de marinade. Fais cuire les pilons pendant encore 15 min jusqu'à ce qu'ils soient à point.

6 Vérifie que le poulet est bien cuit (il ne devrait pas rester de chair rose). Accompagne le tout de chutney de mangue, de pain nan chaud et de laitue.

Informations nutritionnelles

Le poulet est une excellente source de protéines. Il contient du sélénium, qui aide à combattre les infections, et peu de gras, notamment si on ne mange pas la peau.

Poulet

Pâtes au pesto

Voici le plus simple et le plus rapide des plats nourrissants : les pâtes. Ajoute une cuillerée de pesto maison pour obtenir une sauce succulente et tout aussi rapide.

Autres possibilités

Les pois, les haricots verts, les carottes ou le chou-fleur peuvent très bien remplacer le brocoli. Pour ceux qui aiment la viande, le poulet ou le bacon iront très bien.

Tu peux aussi ajouter une cuillerée de pesto à ta soupe, l'incorporer à de la pâte à pain ou bien t'en faire une tartine.

Ingrédients

Spaghettis   Sel   Poivre

- 250 g de spaghettis
- 15-20 bouquets de brocoli

Pignons

Pesto

- 2 grosses gousses d'ail (coupées en gros morceaux)
- 45 ml (3 cuil. à soupe) de pignons

- 60 ml (4 cuil. à soupe) de parmesan finement râpé (et un peu plus pour la garniture)
- 20-25 feuilles de basilic frais
- 75 ml (⅓ tasse) d'huile d'olive
- du sel et du poivre

Ail   Feuilles de basilic

Ustensiles

- un petit couteau tranchant
- une planche à découper
- un robot culinaire
- un bocal et son couvercle
- une grande casserole
- une cuillère en bois
- un égouttoir
- une écumoire

Égouttoir

Planche à découper

1 Place l'ail et les pignons dans le bol du robot et mélange le tout. Ajoute ensuite le parmesan et le basilic, et mélange jusqu'à ce que tu obtiennes une purée grossière.

2 Verse l'huile d'olive dans le robot et mélange jusqu'à ce que tu obtiennes une consistance onctueuse. Transvase le pesto dans un bocal avec un couvercle.

Le savais-tu ?

Le pesto est une sauce italienne qui provient de la ville de Gênes et remonte au temps des Romains. Le mot « pesto » vient d'un verbe italien qui signifie « écraser ».

3 Remplis une grande casserole aux trois quarts avec de l'eau. Ajoute 5 ml (1 cuil. à thé) de sel et porte l'eau à ébullition. Plonge les pâtes.

4 Fais cuire les pâtes en suivant les instructions sur le paquet. Environ 4 min avant qu'elles soient cuites, ajoute les brocolis et laisse mijoter.

5 Égoutte les pâtes et les brocolis, mais réserve 30 ml (2 cuil. à soupe) de l'eau de cuisson. Remets les pâtes et les brocolis dans la casserole avec les 30 ml (2 cuil. à soupe) d'eau.

Informations nutritionnelles

Le brocoli est un super-légume qui contient toute une variété de nutriments, des vitamines B au fer en passant par le zinc et le potassium. Il appartient à la même famille que le chou, le chou-fleur, les choux de Bruxelles et le chou frisé.

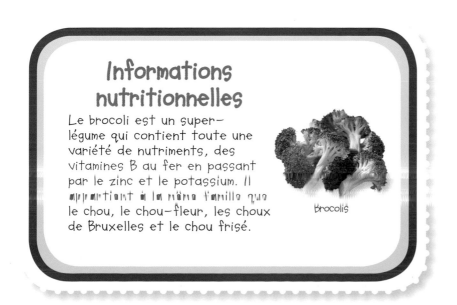

Brocolis

6 Ajoute assez de pesto pour bien tout enrober (il se peut qu'il reste de la sauce). Mélange bien, puis répartis les pâtes entre 4 assiettes creuses.

Poulet grillé et salade de pommes de terre

Ce plat délicieux est facile à réaliser, et regorge de couleurs et de saveurs !

Astuces pratiques

Pour vérifier que le poulet est bien cuit, enfonce la pointe d'un couteau dans la partie la plus charnue : il ne devrait rester aucune partie rosée. Si le poulet n'est pas complètement pret, fais-le cuire pendant encore une minute ou deux.

Tu peux aussi servir le poulet accompagné d'une salade verte ou bien avec du riz.

Ingrédients

Oignons verts

• 4 poitrines de poulet sans la peau (environ 150 g (5 oz) chacun)

Marinade
• 10 ml (2 cuil. à thé) de paprika
• 45 ml (3 cuil. à soupe) d'huile d'olive

Salade de pommes de terre
• 375 g (¾ lb) de pommes de terre nouvelles, coupées en 2
• 2 oignons verts
• 8 tomates cerises
• 45 ml (3 cuil. à soupe) de menthe fraîche hâchée
• 30 ml (2 cuil. à soupe) d'huile d'olive
• 15 ml (1 cuil. à soupe) de jus de citron

Tomates cerises

Ustensiles
• un plat à lasagne
• une cuillère à soupe
• de la pellicule de plastique
• une poêle à griller
• des pinces
• un petit couteau tranchant
• une planche à découper
• une casserole
• un saladier

Pinces

Couteau tranchant

1 Mélange le paprika et l'huile d'olive dans le plat à lasagne. Ajoute le poulet et arrose de marinade. Recouvre le plat de pellicule de plastique et réserve au frigo pendant 30 min.

Informations nutritionnelles

Une poêle à griller est généralement carrée avec un fond cannelé. C'est ce qui permet de cuisiner plus sainement : en effet, les graisses s'accumulent au fond des cannelures et n'imbibent donc pas les aliments.
Tu peux frire de cette manière la viande, le poisson et les légumes : cela donnera un délicieux petit goût de barbecue à ton plat.

Poêle à griller

2 Fais chauffer la poêle jusqu'à ce qu'elle soit très chaude. Dépose 2 poitrines de poulet dedans. Fais-les griller pendant 6 min sur un côté.

3 Retourne soigneusement le poulet à l'aide des pinces. Verse un peu de marinade, puis fais cuire pendant encore 6 min, jusqu'à ce que le poulet soit à point.

4 Fais cuire les autres poitrines de la même façon, en t'assurant bien qu'il ne reste plus de chair rosée au milieu. Sers-les avec la salade de pommes de terre.

1 Mets les pommes de terre dans une casserole et couvre-les d'eau. Porte à ébullition et fais-les cuire pendant 10 min, jusqu'à ce qu'elles soient tendres.

2 Égoutte les pommes de terre et laisse-les refroidir dans un saladier. Coupe les oignons verts en petits morceaux et les tomates en 2. Ajoute la menthe.

3 Mélange l'huile d'olive et le jus de citron à l'aide d'une fourchette. Verse la vinaigrette sur la salade. Mélange bien.

Kebab d'agneau et marinade à la tomate

Ces kebabs sont épicés juste ce qu'il faut pour leur donner de la saveur sans qu'ils soient trop piquants.

Fais tremper les brochettes en bois dans l'eau pendant 30 min pour éviter qu'elles brûlent.

Le savais-tu ?

Nombreux sont ceux qui croient que manger de l'ail prévient le vieillissement. Et, bien sûr, ça fait fuir les vampires !

Ingrédients

Agneau haché

- 500 g (1 lb) de viande d'agneau maigre hachée
- 1 petit oignon (haché menu)
- 2 gousses d'ail (écrasées)
- 2 ml (½ cuil. à thé) de cannelle
- 10 ml (2 cuil. à thé) de cumin moulu
- 5 ml (1 cuil. à thé) de coriandre moulue
- de l'huile d'olive (pour badigeonner)
- du sel et du poivre

Sauce tomate

- 30 ml (2 cuil. à soupe) d'huile d'olive
- 2 gousses d'ail (écrasées)
- 300 ml (¼ tasse) de passata (tomates en boîte filtrées à la passoire)
- 15 ml (1 cuil. à soupe) de purée de tomates séchées (ou de pâte de tomates)
- 5 ml (1 cuil. à thé) de sucre

Huile d'olive

Ustensiles

- une casserole de taille moyenne
- un grand saladier
- une cuillère en bois
- une plaque de cuisson
- douze brochettes en bois ou en métal
- des pinces

Pinces

Brochettes en bois

Cuillère en bois

1 Verse l'huile d'olive dans une casserole et fais chauffer à feu doux. Fais frire l'ail 1 min. Ajoute la passata, la pâte de tomates et le sucre. Porte le tout à ébullition.

2 Réduis le feu, couvre partiellement la casserole et laisse mijoter pendant 15 min. Remue de temps à autre pour éviter que la sauce attache au fond.

Autres possibilités

Pour une saveur italienne, remplace la cannelle, le cumin et la coriandre par 10 ml (2 cuil. à thé) d'origan séché et 30 ml (2 cuil. à soupe) de tomates séchées finement coupées. Tu peux aussi ajouter 15 ml (1 cuil. à soupe) de cari en poudre pour obtenir une saveur indienne.

1 Mets la viande d'agneau hachée dans un saladier et écrase-la avec une fourchette. Ajoute l'oignon haché, l'ail, la cannelle, le cumin et la coriandre.

2 Ajoute du sel et du poivre, puis mélange bien les ingrédients. Fais préchauffer le gril du four à moyen, puis badigeonne une plaque d'un peu d'huile.

3 Divise le mélange obtenu en 12 parts. Forme 12 cylindres, puis enfile-les sur les brochettes. Appuie dessus pour bien allonger les kebabs.

4 Dispose les kebabs d'agneau sur la plaque. Fais-les griller pendant environ 10 min. Retourne-les à mi-cuisson. Fais-les cuire jusqu'à ce qu'ils soient dorés et bien cuits.

Informations nutritionnelles

Dans tous les pays du monde, on utilise les oignons pour cuisiner. Tout comme l'ail, ils sont devenus un condiment essentiel à de nombreux plats. Pendant des siècles, l'oignon et l'ail ont également servi de remèdes traditionnels. Ils ont une action antibactérienne et antivirale qui contribue à combattre les rhumes et à atténuer l'asthme et les allergies.

Ail

Oignon

Papillotes de saumon

Le saumon contient de nombreux acides gras essentiels qui aident à la concentration et renforcent la mémoire. Si, d'habitude, tu n'aimes pas beaucoup le poisson, cette délicieuse recette pourrait bien te faire changer d'avis !

Le savais-tu ?

Les Japonais sont les plus grands consommateurs de saumon du monde, et c'est dans ce pays qu'il y a le moins de maladies cardiaques.

Les végétariens peuvent opter pour des légumes tels que carottes, poivrons rouges, pois mange-tout, brocolis, oignons verts et courgettes.

Ingrédients

- 30 ml (2 cuil. à soupe) de graines de sésame
- 4 filets de saumon épais (environ 150 g (5 oz) chacun)
- 1 carotte (coupée en fines rondelles)
- 1 poivron rouge (épépiné et coupé en fines lanières)
- 3 oignons verts (coupées en fines lanières)
- 4 tranches de gingembre frais (pelées et coupées en fines lanières)
- 30 ml (2 cuil. à soupe) de sauce soya
- 60 ml (4 cuil. à soupe) de jus d'orange
- du sel et du poivre noir
- 250 g de nouilles

Carotte

Gingembre frais

Nouilles

Ustensiles

- une poêle à frire
- du papier sulfurisé
- un couteau tranchant
- une planche à découper
- une plaque de cuisson

Couteau tranchant

Planche à découper

Simply Asia teriaki & sesame = 8.5/10

1 Fais préchauffer le four à 200 °C (400 °F). Fais griller les graines de sésame dans une poêle sèche jusqu'à ce qu'elles soient dorées. Retire-les de la poêle.

2 Coupe le papier sulfurisé en 4 morceaux d'au moins 2 fois la taille des filets de saumon. Dispose chaque filet sur un morceau de papier sulfurisé.

3 Dispose un mélange de carottes, de poivrons rouges, d'oignons verts et de gingembre sur chaque filet de saumon. Verse un filet de sauce soya et de jus d'orange sur l'ensemble.

4 Sale et poivre. Replie le haut et le bas de chaque papillote et referme-la bien. Dispose les 4 papillotes sur une plaque et fais-les cuire au four pendant 15 min.

5 Ajoute les nouilles dans la casserole d'eau bouillante et fais-les cuire en suivant les instructions sur le paquet.

Autres possibilités

Les poitrines de poulet seront tout aussi délicieuses, préparées ainsi : fais cuire le poulet un peu plus longtemps que le saumon, environ 20-25 min, jusqu'à ce qu'il soit à point.

6 Sors le poisson du four et laisse-le refroidir un peu avant d'ouvrir les papillotes. Sers-le avec les nouilles parsemées de quelques graines de sésame.

Informations nutritionnelles

Le saumon est une excellente source d'acides gras poly-insaturés, les oméga 3. Ce sont les graisses les plus saines, et on a démontré qu'elles contribuaient à réduire les maladies cardiaques. Les oméga 3 sont bénéfiques pour le cerveau, la peau, les yeux et les nerfs (p. 14-15).

Saumon

Pâtes aux légumes rôtis

Les légumes rôtis sont sucrés et fondent dans la bouche sans perdre leurs bienfaits.

Autres possibilités

La courge musquée, les aubergines, les poireaux ou les carottes conviendraient aussi. Les mangeurs de viande et de poisson peuvent également ajouter du jambon ou du thon en boîte, du poulet, du bacon ou de la saucisse rôtie.

Ingrédients

- 1 aubergine
- 1 grosse courgette
- 1 gros poivron rouge (épépiné)
- 1 gros oignon rouge
- 6 gousses d'ail (entières)
- 45 ml (3 cuil. à soupe) d'huile d'olive

Cheddar

- 12 tomates cerises
- 300 g de pennes
- 60 ml (4 cuil. à soupe) de crème à 15 %
- 15 ml (1 cuil. à soupe) de moutarde à l'ancienne
- 75 ml (⅓ tasse) de cheddar vieilli (râpé)
- du sel et du poivre

Aubergine

Ustensiles

- un petit couteau tranchant
- une planche à découper
- une plaque de cuisson
- une grande casserole
- une cuillère en bois
- un bol
- une petite cuillère

Casserole

Bol

1 Fais préchauffer le four à 200 °C (400 °F). Coupe l'aubergine, la courgette et le poivron rouge en dés. Coupe l'oignon en 8.

2 Mets l'aubergine, la courgette, l'oignon, l'ail et le poivron rouge sur la plaque. Verse l'huile sur les légumes et mélange-les pour qu'ils soient bien enrobés.

Informations nutritionnelles

Les poivrons rouges, verts et jaunes regorgent de vitamine C. Ils sont excellents pour la peau, les dents et les os. Les rouges contiennent plus de bêta-carotène, qui aide à combattre les virus.

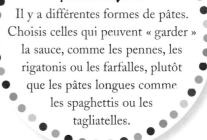

Poivrons rouges

3 Mets les légumes au four pendant 15 min, puis retire la plaque. Ajoute les tomates et tourne-les dans l'huile. Fais-les rôtir pendant 10 min.

4 Pendant ce temps, porte une grande casserole d'eau à ébullition. Ajoute les pâtes et fais-les cuire jusqu'à ce qu'elles soient tendres, mais pas trop molles.

Astuce pratique

Il y a différentes formes de pâtes. Choisis celles qui peuvent « garder » la sauce, comme les pennes, les rigatonis ou les farfalles, plutôt que les pâtes longues comme les spaghettis ou les tagliatelles.

5 Retire les gousses d'ail de la plaque. Égoutte les pâtes et ajoute-les aux légumes sur la plaque. Pèle les gousses d'ail et coupe-les finement.

6 Mélange l'ail avec la crème et la moutarde. Ajoute le tout aux pâtes et aux légumes. Saupoudre de cheddar.

7 Assaisonne et mélange bien le tout. Remets la plaque au four pendant 5 min, jusqu'à ce que le fromage ait fondu et que tous les ingrédients soient chauds.

Côtes levées et pommes de terre au four

Avec cette sauce barbecue toute simple, donne un délicieux petit goût sucré à tes côtes levées de porc. Elles sont encore meilleures quand on les mange avec les doigts !

Tu peux faire mariner les côtes levées de porc pendant une nuit pour leur donner un maximum de saveur.

Ingrédients

- 1 kg (2 lb) de côtes levées de porc
- 4 pommes de terre de taille moyennes (nettoyées)
- 60 ml (4 cuil. à soupe) de crème sure
- 30 ml (2 cuil. à soupe) de ciboulette hachée

Côtes levées de porc

Marinade

Tabasco

- 30 ml (2 cuil. à soupe) de miel
- 15 ml (1 cuil. à soupe) de vinaigre balsamique
- 60 ml (4 cuil. à soupe) de ketchup
- 15 ml (2 cuil. à soupe) de cassonade
- 30 ml (1 cuil. à soupe) de moutarde
- 15 ml (1 cuil. à soupe) d'huile d'olive
- 3 gouttes de tabasco (facultatif)

Ustensiles

- une tasse à mesurer
- une fourchette
- du papier d'aluminium extra large
- une plaque de cuisson
- des gants de cuisine
- un couteau

Plaque de cuisson

Papier d'aluminium extra large

1 Mets les ingrédients de la marinade dans la tasse et mélange-les. Dépose les côtes levées sur une double épaisseur de papier d'aluminium. Verse la marinade.

2 Veille à ce que les côtes levées soient bien enrobées. Replie le papier d'aluminium et referme le tout sans trop serrer. Laisse mariner au frigo pendant au moins 1 h.

3 Fais préchauffer le four à 200 °C (400 °F). Nettoie les pommes de terre et pique-les avec une fourchette. Fais-les cuire au moins 1 h.

4 Retire les papillotes du frigo et dépose-les sur la plaque. Fais cuire les papillotes au four avec les pommes de terre pendant 30 min.

5 Déplie chaque papillote. Fais cuire les côtes levées pendant encore 30 min dans la papillote ouverte, jusqu'à ce qu'elles soient à point.

Autres possibilités

Tu peux utiliser cette délicieuse marinade avec du poulet, de la dinde, du poisson, des légumes ou du tofu. Tu peux également faire cuire ces ingrédients au barbecue.

6 Coupe les pommes de terre en 2, puis ouvre-les. Couronne chaque pomme de terre de crème sure et de ciboulette. Sers-les avec les côtes levées.

Informations nutritionnelles

Les pommes de terre sont excellentes au four. C'est une méthode de cuisson très simple, et tu n'as pas besoin d'ajouter de gras. Les pommes de terre sont des féculents et contiennent de l'amidon. Elles apportent de l'énergie à ton corps, ainsi que des vitamines B et C, du fer et du potassium. C'est dans leur peau que se trouve la plus grande concentration en fibres. Elles t'aident à mieux digérer.

Pommes de terre

Jambalaya

Ce plat cajun à base de riz vient de la Louisiane, aux États-Unis. Il est facile à faire : tous les ingrédients sont cuits dans la même casserole. Pour les végétariens, on peut remplacer le poulet et le jambon par d'autres légumes, des saucisses sans viande ou du tofu.

Autres possibilités
Les crevettes, le porc, les haricots ou les légumes tels que les pois et les courgettes conviennent également très bien à ce plat.

Ingrédients

- 375 ml (1½ tasse) de riz
- 1 gros oignon (coupé)
- 3 poitrines de poulet sans peau
- 250 g (½ lb) de jambon fumé
- 30 ml (2 cuil. à soupe) d'huile d'olive
- 2 grosses gousses d'ail (hachées)
- 1 poivron rouge (épépiné et coupé en petits cubes)
- 1 piment vert (facultatif) (épépiné et coupé en petits morceaux)
- 5 ml (1 cuil. à thé) de paprika
- 5 ml (1 cuil. à thé) de thym séché
- 675 ml (2¾ tasses) de bouillon de poulet ou de légumes chaud
- 45 ml (3 cuil. à soupe) de tomates en boîte
- 125 ml (½ tasse) de petits pois
- du sel et du poivre

Poivron

Petits pois

Ustensiles

- une passoire
- un petit couteau tranchant
- une planche à découper
- une grande casserole et son couvercle
- une cuillère en bois

Planche à découper

Casserole

1 Mets le riz dans la passoire et rince-le à l'eau froide jusqu'à ce que l'eau soit claire. On lave le riz avant la cuisson pour éviter que les grains collent.

2 Coupe l'oignon en petits morceaux, puis coupe le poulet et le jambon en dés. Fais chauffer l'huile dans la grande casserole.

3 Fais revenir le poulet et l'oignon pendant 8 min à feu moyen jusqu'à ce que la viande soit bien dorée. Remue pour éviter qu'elle attache à la poêle.

Ajoute les pois 2 min avant que le riz soit cuit à l'étape 5 afin d'ajouter de la couleur à ton plat.

Le savais-tu ?

Une graine de riz semée permet de récolter plus de 3000 grains. C'est la céréale qui a le plus haut rendement. Elle pousse dans des environnements variés.

Informations nutritionnelles

Le riz est un aliment de base dans le monde entier. On le cultivait déjà 5000 ans av. J.-C. C'est une excellente source d'énergie. Le riz brun est meilleur pour la santé que le blanc, car il contient plus de fibres, de vitamines et de minéraux. Le riz blanc n'a plus de cosse, de son ni de germe, ce qui réduit énormément sa valeur nutritionnelle.

Riz

4 Ajoute le jambon, l'ail, le poivron rouge et le piment. Ajoute le paprika, le thym, le riz, le bouillon et les tomates. Remue le tout et porte à ébullition.

5 Réduis le feu à doux, recouvre la casserole et laisse mijoter pendant 35 min, jusqu'à ce que le bouillon soit bien absorbé. Remue bien avant de servir.

Brochettes colorées

Ces brochettes sont très amusantes à préparer et, bien sûr, elles sont délicieuses ! Elles constitueront un plat végétarien idéal pour un barbecue estival.

Autres possibilités

Dans cette recette, tu peux utiliser des cubes de poulet, de bœuf, de porc, d'agneau ou de poissons comme le saumon ou le thon. Tu peux aussi ajouter des champignons, des aubergines ou des ananas en cubes.

Fais tremper les brochettes en bois pendant 30 min pour éviter qu'elles brûlent.

Ingrédients

- 250 g (½ lb) de tofu ferme
- 2 petites courgettes (coupées en 8 morceaux)
- 2 oignons rouges de taille moyenne (pelés et coupés en 8)
- 1 poivron rouge moyen (épépiné et coupé en 16)
- 250 g de nouilles aux œufs
- 15 ml (1 cuil. à soupe) de graines de sésame grillées (facultatif)

Marinade

- 30 ml (cuil. à soupe) d'huile d'olive
- 15 ml (1 cuil. à soupe) de sauce soya
- 45 ml (3 cuil. à soupe) de sauce de haricots noirs
- 15 ml (1 cuil. à soupe) de miel liquide
- 2 gousses d'ail (écrasées)
- du sel et du poivre

Nouilles

Oignon rouge

Poivron rouge

Ustensiles

- un grand plat peu profond
- une plaque de cuisson
- du papier absorbant
- un couteau tranchant
- une planche à découper
- une cuillère
- huit brochettes en bois ou en métal
- un pinceau à pâtisserie
- une casserole
- des pinces
- un égouttoir

Pinces

Égouttoir

1 Éponge le tofu avec du papier absorbant, puis coupe-le en 16 cubes. Place les cubes dans le plat avec les courgettes, les oignons et le poivron rouge.

Autres possibilités

Remplace la marinade orientale par une recette méditerranéenne : mélange 60 ml (4 cuil. à soupe) d'huile d'olive, 30 ml (2 cuil. à soupe) de vinaigre balsamique, 2 gousses d'ail écrasées et 15 ml (1 cuil. à soupe) de miel liquide.

Informations nutritionnelles

Le tofu est l'un des rares aliments d'origine végétale qui soit une protéine complète. Cela signifie qu'il contient un dosage équilibré d'acides aminés, essentiels pour l'entretien et la réparation des tissus de ton corps. Il contient peu de gras et c'est une excellente source de fer, de magnésium et de vitamines B1, B2 et B3. Tu peux le faire cuire à la poêle, au wok ou dans l'huile, ou bien le faire griller. En lui-même, le tofu est assez fade : il vaut mieux le servir avec des aliments à forte saveur.

Tofu

2 Mélange les ingrédients de la marinade dans un grand plat. Enrobe bien de marinade le tofu et les légumes avec une cuillère. Réserve au frigo pendant 1 h.

3 Fais préchauffer le gril du four. Enfile sur une brochette un morceau de poivron rouge, un de tofu, un d'oignon rouge et un de courgette. Renouvelle l'opération.

4 Depose les brochettes sur la plaque de cuisson et badigeonne-les de marinade. Fais-les griller pendant 15-20 min en les retournant à mi-cuisson pour les badigeonner de marinade.

5 Pendant que les brochettes cuisent, porte une casserole d'eau à ébullition. Ajoute les nouilles et suis les instructions sur le paquet. Égoutte-les.

6 Dépose quelques nouilles dans chaque assiette avant d'y ajouter deux brochettes par personne. Parsème les nouilles de graines de sésame.

Pot-au-feu aux saucisses

Les pommes apportent une douceur naturelle à ce plat salé, ainsi que des vitamines supplémentaires. Voilà une recette qui te réchauffera l'hiver grâce à sa purée aérée et à ses légumes verts vapeur.

Autres possibilités

La dinde, le porc, le bœuf ou les saucisses végétariennes vont très bien avec ce plat. On fait cuire les saucisses à l'étape 2, puis on les fait lentement rôtir au four.

Voir page 57 la délicieuse recette de purée de pommes de terre.

Ingrédients

- 2 pommes
- 30 ml (2 cuil. à soupe) d'huile d'olive
- 6-8 saucisses (de dinde, de porc, de bœuf ou végétariennes)
- 1 oignon (coupé)
- 1 carotte (coupée en dés)
- 2 gousses d'ail (hachées menu)
- 120 g (4 oz) de bacon coupé en dés (facultatif)
- 5 ml (1 cuil. à thé) de fines herbes
- 625 ml (2½ tasses) de haricots rouges ou mélangés en boîte (égouttés et rincés)
- 60 ml (4 cuil. à soupe) de tomates en boîte (en dés)
- 15 ml (1 cuil. à soupe) de pâte de tomates
- 400 ml (1⅓ tasse de bouillon de poulet ou de légumes

Bouillon

Saucisses

Ustensiles

- un épluche-légumes
- un petit couteau tranchant
- une planche à découper
- une grande casserole pouvant aller au four et son couvercle (ou une grande cocotte et son couvercle)
- des gants de cuisine
- une cuillère en bois
- des pinces

Planche à découper

Casserole

Informations nutritionnelles

Les pommes sont une excellente source d'énergie et apportent de nombreux antioxydants, comme la vitamine C. Elles contribuent à l'élimination des toxines. Mange des pommes, elles sont bonnes !

Pommes

1 Pèle soigneusement les pommes à l'aide d'un épluche-légumes. Coupe-les en 4 et retire les trognons. Coupe-les enfin en dés.

2 Fais préchauffer le four à 200 °C (400 °F). Fais chauffer l'huile dans une grande casserole. Fais cuire les saucisses pendant 5 min, jusqu'à ce qu'elles aient bien bruni.

Le savais-tu ?

Pendant la Seconde Guerre mondiale, les Anglais avaient surnommé les saucisses « bangers », car elles contenaient tellement d'eau qu'elles explosaient lorsqu'on les faisait frire ! Bang !

3 Retire les saucisses de la casserole. Place l'oignon et la carotte dans la casserole et fais-les frire à feu moyen pendant 5 min en remuant fréquemment.

4 Ajoute ensuite l'ail, le bacon et les fines herbes. Remue et laisse cuire pendant 6 min (transvase le tout dans une grande cocotte, si tu n'utilises pas une casserole).

5 Ajoute les haricots, les tomates, la pâte de tomates, les pommes et les saucisses. Remue bien. Verse le bouillon et porte le tout à ébullition.

6 Recouvre avec le couvercle et place la cocotte dans le four. Fais cuire pendant 25 min. La sauce doit réduire et épaissir tandis que les pommes ramollissent.

7 Attention en retirant la cocotte du four : le pot-au-feu est bouillant. Sale et poivre. Sers-le accompagné de purée et de légumes.

Bâtonnets de poisson et frites de patate douce

Essaie cette version plus saine des bâtonnets de poisson accompagnés de frites. C'est délicieux et facile à faire !

Le savais-tu ?

Depuis la fin du 19ᵉ siècle, les bâtonnets de poisson avec des frites sont le lunch préféré des Britanniques.

Ingrédients

- 500 g (1 lb) de filets de d'aiglefin ou de tout autre poisson à chair blanche (bien épongé)
- 250 ml (1 tasse) de farine de maïs
- 10 ml (2 cuil. à thé) de mélange d'épices cajuns ou de paprika (facultatif)

- 1 œuf (battu)
- du sel et du poivre
- 30 ml (2 cuil. à soupe) d'huile d'olive

Farine de maïs

Frites de patate douce

- 2 grosses patates douces (nettoyées)

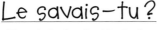

Filets de poisson

Ustensiles

- un petit couteau tranchant
- une planche à découper
- du papier absorbant
- deux plaques de cuisson
- une assiette
- des pinces

Planche à découper

Plaque de cuisson

82

1 Fais préchauffer le four à 200 °C (400 °F). Coupe les patates douces en 2, puis en lanières. Éponge-les bien avec du papier absorbant.

2 Verse la moitié de l'huile d'olive sur une plaque et ajoute les frites. Enrobe-les bien dans l'huile et fais-les rôtir pendant 30 min. Retourne-les à mi-cuisson.

Autres possibilités

Tu peux aussi utiliser des pommes de terre ordinaires pour faire ces frites. Il suffit de suivre la recette.

3 Pendant ce temps, coupe le poisson en lanières d'1 cm (½ po). Mélange la farine de maïs ou la polenta avec les épices dans une assiette. Sale et poivre.

4 Trempe chaque lanière de poisson dans l'œuf battu, puis roule-la dans le mélange de farine de maïs jusqu'à ce qu'elle soit bien enrobée.

5 Verse le restant d'huile sur l'autre plaque avant d'y poser les bâtonnets de poisson. Lorsque les frites auront cuit 22 min, enfourne alors les bâtonnets de poisson.

6 Fais cuire les bâtonnets de poisson pendant 8 min en les retournant à mi-cuisson. Ils devraient être dorés. Sers-les avec des frites et des petits pois.

Informations nutritionnelles

Les patates douces ont la chair orangée et contiennent plus de bêta-carotène que les blanches. Celui-ci se transforme en vitamine A dans ton organisme.

Patates douces

Bœuf arc-en-ciel

Voici une façon de confectionner un repas haut en couleur. Tu peux remplacer les nouilles par du riz sauté.

Le savais-tu ?

Les pois mange-tout s'appellent ainsi, car on mange le légume en entier, cosse comprise.

Maïs miniatures

Ingrédients

- 375 g (¾ lb) de bœuf maigre
- 15 ml (1 cuil. à soupe) d'huile de tournesol
- 250 g de nouilles aux œufs
- 1 poivron (épépiné et coupé en fines lanières)
- 6 épis de maïs miniatures (coupés en 2)
- 75 g (2½ oz) de pois mange-tout
- 3 oignons verts tranchés
- 2 gousses d'ail (coupées)

- 10 ml (2 cuil. à thé) de gingembre frais râpé
- 60 ml (4 cuil. à soupe) de jus d'orange fraîchement pressé

Marinade

- 90 ml (6 cuil. à soupe) de sauce hoisin
- 30 ml (2 cuil. à soupe) de sauce soya
- 15 ml (1 cuil. à soupe) de miel liquide
- 5 ml (1 cuil. à thé) d'huile de sésame

Ustensiles

Pinces

- un petit couteau tranchant
- une cuillère
- un plat à lasagne
- un wok ou une grande poêle à frire
- une spatule
- une cuillère en bois
- des pinces
- une casserole de taille moyenne
- un égouttoir

Pois mange-tout

Nouilles

Égouttoir

1 Mélange les ingrédients de la marinade dans un plat à lasagne. Ajoute les lanières de bœuf. Enrobe-les de marinade et laisse reposer pendant 1 h.

2 Fais chauffer l'huile dans un wok ou dans une poêle à frire. Retire les lanières de bœuf de la marinade à l'aide des pinces, puis dépose-les dans le wok.

Informations nutritionnelles

Lorsqu'on fait sauter les aliments, on les fait cuire rapidement avec un minimum d'huile. Cela réduit la quantité de gras tout en conservant les vitamines et les minéraux, souvent détruits lors d'une cuisson plus longue.

Wok

3 Sans cesser de remuer, fais frire les lanières de bœuf à feu vif pendant 1-2 min, jusqu'à ce qu'elles aient bien bruni. Retire la viande à l'aide des pinces.

4 Porte une casserole d'eau à ébullition. Ajoute les nouilles en remuant pour bien les séparer. Fais-les cuire jusqu'à ce qu'elles soient tendres.

Autres possibilités

Tu peux aussi utiliser du porc ou du poulet, ou encore des crevettes ou du tofu. Pour un meilleur résultat, il est important de faire d'abord mariner la viande.

5 Ajoute un peu plus d'huile dans le wok, au besoin. Ajoute le poivron rouge, le maïs, les pois mange-tout et les oignons verts. Fais frire pendant 2 min.

6 Ajoute l'ail, le gingembre, le bœuf et ce qu'il reste de marinade. Fais frire pendant 1 min. Verse le jus d'orange et fais cuire pendant encore 1 min.

7 Égoutte les nouilles et répartis-les entre 4 assiettes creuses. Garnis-les de légumes et de bœuf. C'est prêt!

Purée de fruits maison

Les sauces aux fruits toutes simples sont idéales pour accompagner les yogourts, la crème glacée, etc. Opte pour des fruits à la texture molle et juteuse comme les mangues, les fraises ou les nectarines. Réduis-les en purée au mélangeur, en ajoutant un peu de sucre, s'il y a lieu.

Crème de bananes

Mélange un yogourt nature et de la crème anglaise toute prête en quantité égale. Dispose des rondelles de banane dans un bol, puis nappe-les de ce mélange. Tu peux aussi utiliser des pommes cuites (p. 17).

Desserts

Pour rester en bonne santé, inutile d'éviter les desserts : une alimentation équilibrée implique que tu peux manger de tout avec modération. En fait, le dessert est une occasion idéale pour ajouter des fruits à ton alimentation ! Mais n'oublie pas que les desserts et les gâteaux peuvent être riches en gras. Tu trouveras ton bonheur dans ce chapitre, du jello fruité au croustillant en passant par les délicieux suçons glacés et les carrés aux pommes. Voici quelques idées simples pour faire de succulents desserts.

Yogourt aux fruits

Les yogourts achetés dans le commerce contiennent souvent beaucoup de sucre et peu de fruits. Confectionne ton propre yogourt en mélangeant une purée de fruits frais (ci-dessus) avec du yogourt nature.

Minicroustillants

Fais préchauffer le four à 180 °C (350 °F). Saupoudre 30 ml (2 cuil. à soupe) de mélange pour croustillant (p. 102-103) sur 3 nectarines (coupées en 2 et dénoyautées). Dispose les fruits dans un plat et verse un peu d'eau dedans pour éviter que les fruits se dessèchent. Fais cuire au four pendant 20 min.

Pâte aux fruits à tartiner

Mets 125 ml (½ tasse) d'abricots séchés et autant de dattes dans une casserole avec 425 ml (1¾ tasse) d'eau. Porte le tout à ébullition, réduis le feu et laisse mijoter pendant 45 min. Transvase dans un mélangeur, ajoute 75 ml (5 cuil. à soupe) d'eau et réduis en purée. Cette pâte se conserve dans un bocal au frigo pendant une semaine.

Bananes au chocolat

Fais préchauffer le four à 180 °C (350 °F). Coupe une banane dans le sens de la longueur, mais pas entièrement. Enfonce des morceaux de chocolat entre les deux sections, puis emballe la banane dans du papier d'aluminium.

Fais cuire au four pendant 20 min, jusqu'à ce que le chocolat ait fondu.

Maïs soufflé

Verse 15 ml (1 cuil. à soupe) d'huile de tournesol dans une casserole de taille moyenne. Fais chauffer l'huile, ajoute une fine couche de maïs à souffler. Mets le couvercle sur la casserole et fais cuire à feu moyen en remuant de temps à autre la casserole jusqu'à ce que le maïs éclate. Attention : ne retire pas le couvercle avant que le bruit ait cessé !

Salade de fruits tiède

Fais cuire tes fruits séchés préférés à feu doux dans un peu d'eau pendant environ 20 min, jusqu'à ce qu'ils soient tendres et bien gonflés. Ajoute un bâtonnet de cannelle et un peu de noix de muscade, si tu le souhaites. Sers-les avec du yogourt nature.

Dessert glacé à la banane

Emballe une banane pelée dans de la pellicule de plastique. Réserve au congélateur pendant environ 2 h, jusqu'à ce que la banane soit dure. Retire la pellicule et passe la banane au mélangeur. Sers la purée dans un bol avec un filet de sirop d'érable et quelques noix.

Coupe de melon aux fruits

Ce dessert multicolore regorge de fruits délicieux. Mieux encore, tu peux manger la coupe ensuite !

Le savais-tu ?

Un citron contient plus de sucre qu'une fraise ! Les fraises sont les seuls fruits dont les graines poussent à l'extérieur.

Ingrédients

- ½ melon cantaloup
- 150-200 g ou 250-375 ml (1-1½ tasse) de fruits coupés tels que prunes, abricots, raisins, fraises, framboises ou mûres, ou encore des tranches de nectarine, de pêche, d'orange, de pomme ou de kiwi
- 60 ml (4 cuil. à soupe) de jus d'orange frais

Fraises

Jus d'orange

Ustensiles

- un couteau tranchant
- une planche à découper
- une petite cuillère
- une cuillère à crème glacée
- un grand saladier

Cuillère à crème glacée

1 Ôte les pépins du melon et jette-les. Découpe une fine tranche à la base du melon pour qu'il tienne droit dans une assiette.

Informations nutritionnelles

Les melons, notamment ceux dont la chair est orange, contiennent beaucoup de bêta-carotène. Ce nutriment contribue à améliorer la vue et la santé de la peau, et favorise la croissance. On trouve aussi de la vitamine C dans ce fruit juteux.

Melon

2 À l'aide d'une cuillère à crème glacée, prélève des boules dans la chair du melon. Laisse 1 cm (½ po) de chair.

3 Lave, pèle, tranche et épépine le reste des fruits. Mets le jus d'orange et les boules de melon dans un grand saladier.

4 Remplis l'écorce du melon avec la salade de fruits, puis verse le restant de jus d'orange. Pour une saveur intacte, sers-la sans tarder.

Yogourt glacé tropical

Ce dessert glacé au yogourt onctueux regorge des vitamines contenues dans les fruits frais : c'est un excellent substitut à la crème glacée traditionnelle. Le yogourt nature est crémeux, mais il comporte beaucoup moins de gras que la crème. Il contient aussi du calcium et des bactéries qui sont bonnes pour le système digestif.

Autres possibilités

Les fraises, les prunes, les nectarines, les framboises et les pêches sont tout aussi bonnes que les mangues et les bananes. Il en faut environ 500 g (1 lb).

Le savais-tu ?

C'est l'Inde qui produit 50 % des mangues consommées dans le monde. Ces fruits appartiennent à la même famille que les noix de cajou, les pistaches et l'herbe à puces.

Ingrédients

• 2 mangues mûres de taille moyenne
• 2 bananes de taille moyenne
• 1 pot de 500 g de yogourt nature
• 45 ml (3 cuil. à soupe) de sucre à glacer
• le jus de 1 citron pressé

Yogourt nature

Bananes

Ustensiles

• un couteau tranchant
• une planche à découper
• un mélangeur ou un robot culinaire
• une cuillère
• une boîte en plastique et son couvercle
• un fouet ou une fourchette
• une cuillère à crème glacée

Cuillère à crème glacée

1 Coupe chaque mangue par le milieu, le plus près du noyau possible. Entaille maintenant la chair de chaque moitié jusqu'à la peau pour former un quadrillage.

2 Appuie sur chaque moitié de mangue, puis découpe soigneusement les cubes ainsi formés. Débarrasse le noyau du restant de pulpe.

3 Coupe la banane en morceaux ou en rondelles et mets-les dans le bol du mélangeur. Ajoute ensuite la mangue, le yogourt, le sucre et un filet de jus de citron.

Retire le yogourt glacé du congélateur 30 min avant de le manger.

Informations nutritionnelles

Les mangues contiennent beaucoup de vitamine C et de bêta-carotène, ainsi que des vitamines A et B. Cependant, lorsqu'on les fait cuire, elles perdent de nombreux nutriments.

Mangue

4 Actionne l'appareil jusqu'à ce que le mélange soit onctueux. Verse-le dans un récipient peu profond, ferme le couvercle et réserve au congélateur.

5 Après 2-3 h, fouette le mélange à la fourchette pour briser les cristaux de glace. Remets-le au congélateur, puis recommence 3 h plus tard.

Suçons glacés à la pêche et à l'orange

Il ne faut que quelques minutes pour faire ces suçons glacés rafraîchissants. C'est une façon amusante d'introduire des fruits dans ton alimentation. Ajoute du yogourt nature et tu obtiendras un suçon au yogourt glacé.

Le savais-tu ?

Les pêches sont les fruits emblématiques de l'État de Caroline du Sud, aux États-Unis, tandis qu'on surnomme la Géorgie « l'État de la pêche ».

Ingrédients

• 3 pêches ou nectarines mûres
• 300 ml (1¼ tasse) de jus d'orange frais
• 15-30 ml (1-2 cuil. à soupe) de sucre à glacer (ou selon ton goût)
• 60-75 ml (4 grosses cuil. à soupe) de salade de fruits en conserve sans additifs, égouttée (facultatif)

Cerises au marasquin

Jus d'orange

Ustensiles

• une écumoire
• un petit couteau tranchant
• une planche à découper
• deux bols
• un mélangeur
• quatre moules à suçons

Moules à suçons

1 Il est parfois difficile de peler les pêches. Voici une façon simple de le faire : à l'aide d'une écumoire, trempe le fruit dans un bol d'eau bouillante.

2 Après environ 30 s, retire le fruit, puis plonge-le immédiatement dans un bol d'eau froide. La peau devrait s'ôter facilement.

3 Coupe soigneusement le fruit tout autour du noyau avant de le mettre dans le bol d'un mélangeur. Ajoute le jus d'orange et 15 ml (1 cuil. à soupe) de sucre à glacer.

4 Mélange les pêches, le jus d'orange et le sucre jusqu'à ce que tu obtiennes une consistance homogène et mousseuse. Ajoute du sucre, s'il y a lieu.

Informations nutritionnelles

Les pêches regorgent de vitamine C et sont aussi une excellente source de potassium et de fibres. Elles contiennent du bêta-carotène que le corps transforme en vitamine A. Les nectarines sont une variété de pêches à peau lisse.

Pêches

5 Verse la moitié de la purée de fruits dans les moules et le jus jusqu'à ce que chaque moule soit à moitié plein, puis le reste de la purée de fruits et du jus de fruits.

6 Plante un bâtonnet dans chaque moule. Réserve au congélateur pendant quelques heures jusqu'à ce que les suçons soient congelés.

Jello ensoleillé

Même si cette version de jello est plus saine que l'originale, car elle contient du jus de fruits et des oranges fraîches, elle renferme cependant du sucre : il ne faut pas en manger trop souvent.

Autres possibilités

Tu peux aussi utiliser des mangues, des pêches ou des cerises. Toutes les saveurs fruitées feront l'affaire.

Le savais-tu ?

C'est dans l'ancienne Égypte qu'est né le jello. On en trouve aujourd'hui de tous les arômes. Lequel préfères-tu ?

Ingrédients

• 2 oranges
• 125 ml (½ tasse) de jus d'orange frais
• 1 sachet de poudre de jello au citron

Oranges

Ustensiles

Couteau tranchant

• un petit couteau tranchant
• une assiette ou une planche à découper
• un moule à jello ou un saladier en verre d'une contenance de 625 ml (1½ tasse)
• une tasse à mesurer
• une assiette

Saladier en verre

1 Coupe une fine tranche à la base d'une orange pour qu'elle tienne posée sur une planche à découper. Épluche-la du haut vers le bas pour ôter la peau et le blanc.

2 Coupe l'orange en fines rondelles. Dispose quelques tranches à la base et sur les parois du moule à jello ou du saladier.

3 Verse le jus d'orange dans la tasse et ajoute la poudre de jello. Verse de l'eau bouillante jusqu'au trait indiquant 625 ml (2½ tasses).

4 Remue doucement jusqu'à ce que la poudre se soit dissoute. Verse soigneusement le liquide dans le moule sur les rondelles d'orange.

5 Dispose le reste des rondelles d'orange sur le jello, puis verse le reste du liquide. Laisse refroidir, puis réserve au frigo pendant au moins 6 h pour que le jello prenne.

Astuces pratiques

L'ananas, le kiwi, la papaye et les figues ne conviennent pas à cette recette, car ils contiennent des enzymes qui empêchent le jello de figer.

6 Pose une assiette sur le moule, puis retourne-le en faisant bien attention : le jello devrait se démouler sans peine.

Informations nutritionnelles

Comme tous les agrumes, les oranges contiennent beaucoup de vitamine C et sont aussi délicieuses. Mieux vaut utiliser du jus fraîchement pressé plutôt que du concentré, car la plupart des nutriments disparaissent lors de la pasteurisation.

Jus d'orange

Brochettes de fruits au chocolat et à l'orange

Voici un dessert amusant à faire, et encore plus amusant à déguster ! Idéal pour les fêtes, il peut se faire avec tous tes fruits préférés.

Chocolat

Ingrédients

- 1 petit ananas
- ½ melon cantaloup
- 3 kiwis
- 18 fraises

Sauce au chocolat et à l'orange

- 150 ml (⅔ tasse) de lait
- le zeste d'1 orange
- 1 tablette de 100 g de chocolat noir ou au lait (en petits morceaux)

Ustensiles

- une casserole de taille moyenne
- une cuillère en bois
- un couteau tranchant
- une planche à découper
- une cuillère à crème glacée
- dix-huit pique-fruits ou brochettes en bois

Fraises

Cantaloup

Cuillère à crème glacée

1 Verse le lait dans une casserole et ajoute le zeste d'orange râpé. Porte le lait à ébullition. Retire la casserole du feu et ajoute le chocolat.

2 Remue le lait jusqu'à ce que le chocolat ait fondu. Verse la sauce dans un saladier et laisse-la refroidir pendant que tu prépares les brochettes de fruits.

Autres possibilités

Dans cette recette, tu peux utiliser tous tes fruits préférés. Les brochettes de fruits sont tout aussi délicieuses avec une sauce au yogourt ou aux fruits (p. 86).

1 Coupe les feuilles et la racine de l'ananas avec un couteau. Pose l'ananas droit sur une planche et découpe l'écorce en tranchant de haut en bas.

2 Découpe l'ananas en rondelles, puis coupe chaque rondelle en deux. Ôte le cœur et les yeux. Coupe le melon en 2 et prélève des boules dans la chair.

3 Coupe les extrémités de chaque kiwi. Pose-le droit sur ta planche et enlève la peau en tranchant de haut en bas, en éloignant le couteau de toi.

4 Enfile quelques morceaux d'ananas, 1 boule de melon, 1 fraise et 1 morceau de kiwi sur un pique-fruits. Sers-les avec la sauce au chocolat.

Informations nutritionnelles

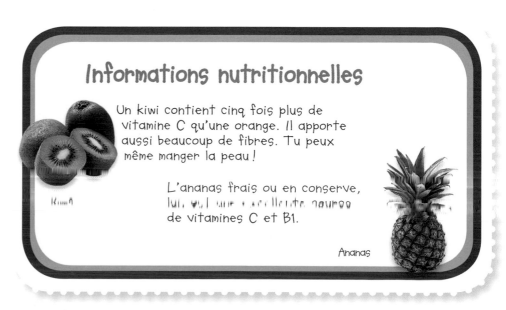

Un kiwi contient cinq fois plus de vitamine C qu'une orange. Il apporte aussi beaucoup de fibres. Tu peux même manger la peau !

L'ananas frais ou en conserve, lui, est une excellente source de vitamines C et B1.

Kiwi

Ananas

Sundae aux fruits

Cette coupe glacée aux fruits est une friandise rafraîchissante et gorgée de vitamines. Tu peux utiliser tous tes fruits préférés et, si tu n'as pas le temps de préparer le yogourt glacé tropical, tu peux mettre des boules de crème glacée à la vanille à la place.

Astuces pratiques

Achète les fraises en saison : elles seront plus nourrissantes. Le jus de citron souligne leur saveur et évite que la sauce s'oxyde ou se décolore.

Ingrédients

• 8 petites boules de yogourt glacé tropical (p. 90-91)
• 4 petites boules de crème glacée à la vanille
• des fruits frais tels que fraises, mangue, kiwis ou framboises (tout dépend de la taille de tes verres)
• des amandes effilées grillées (facultatif)

Sauce à la fraise

• 375 g ou 625 ml (2½ tasses) de fraises
• 1 filet de citron
• 1 peu de sucre à glacer

Mangue

Framboises

Ustensiles

• un couteau tranchant
• une planche à découper
• un mélangeur
• une passoire
• une cuillère à crème glacée
• 4 verres

Kiwis

Banane

1 Prépare d'abord la sauce à la fraise. Coupe les fraises en 2, puis réduis-les en purée au mélangeur jusqu'à ce qu'elles forment une sauce onctueuse.

2 Filtre la purée de fraise à la passoire en pressant avec le dos d'une cuillère pour ôter les pépins. Ajoute du jus de citron et du sucre à glacer.

3 Dépose 1 boule de yogourt glacé tropical dans le verre et ajoute 30 ml (2 cuil. à soupe) de sauce à la fraise. Ajoute quelques fruits et 1 boule de crème glacée à la vanille.

4 Verse encore un peu de sauce, ajoute quelques fruits et couronne le tout d'1 boule de yogourt glacé tropical et de quelques amandes.

Informations nutritionnelles

Les fraises sont une excellente source de vitamine C, essentielle pour la peau, les cheveux et les ongles. Elles contribuent aussi à renforcer ton système immunitaire.

Fraises

99

Muffins anglais aux pommes

Cette recette est idéale si tu n'as pas beaucoup de temps pour préparer un dessert. Tu peux peler les pommes, si tu le souhaites, mais elles sont plus nourrissantes avec la peau.

Autres possibilités

Tu peux également préparer du pain perdu aux raisins, de la brioche ou des petits pains au cassis, ou encore des scones, des bagels, des crêpes ou des gaufres !

Dispose les pommes dorées sur les muffins anglais : c'est délicieux !

Ingrédients

- 3 pommes
- 10 ml (2 cuil. à thé) de jus de citron
- 30 ml (2 cuil. à soupe) de beurre doux (et un peu plus pour faire cuire les muffins)
- 30 ml (2 cuil. à soupe) de cassonade
- 2 ml (½ cuil. à thé) de noix de muscade moulue
- 2 œufs (légèrement battus)
- 60 ml (4 cuil. à soupe) de lait
- 4 muffins anglais à la cannelle et aux raisins (coupés en deux)

Muffins anglais

Œufs légèrement battus

Ustensiles

- un petit couteau tranchant
- une planche à découper
- un bol de taille moyenne
- une cuillère en bois
- une grande poêle
- du papier d'aluminium
- une spatule
- un plat à lasagne

Plat à lasagne

Grande poêle à frire

1 Coupe les pommes en quartiers et ôte les trognons. Coupe-les en tranches fines. Dispose-les dans un bol, puis ajoute le jus de citron et enrobe-les bien.

2 Fais fondre le beurre dans la poêle, puis ajoute les tranches de pomme. Fais cuire à feu moyen-doux pendant 3-4 min, en remuant fréquemment.

Informations nutritionnelles

Il vaut mieux ne pas peler les pommes : les deux tiers des fibres et de nombreux antioxydants se trouvent dans la peau. Les antioxydants contribuent à la bonne santé des cellules et évitent certaines maladies. On dit que les pommes sont bonnes pour la digestion et pour la peau.

Pommes

3 Ajoute la cassonade et la noix de muscade. Fais cuire pendant encore 1-2 min, jusqu'à ce que les pommes aient ramolli et que la sauce caramélise.

4 Retire les pommes du feu et mets-les dans un bol. Couvre le tout d'aluminium pour garder les pommes au chaud.

Le savais-tu ?

On a retrouvé des pommes carbonisées sur des sites préhistoriques en Suisse, ce qui montre que les humains en mangent depuis au moins 6500 ans av. J.-C. C'était aussi le fruit préféré des Grecs et des Romains.

5 Mélange les œufs et le lait dans un plat à lasagne. Trempe chaque muffin dans ce mélange, en imbibant d'abord un côté puis l'autre.

6 Égoutte bien chaque muffin. Fais fondre une petite noix de beurre dans la poêle pour bien graisser le fond.

7 Dispose 2 muffins dans la poêle et fais cuire chaque côté pendant environ 2 min, jusqu'à ce que l'œuf ait pris et soit devenu bien doré.

Croustillant à l'avoine

Le croustillant aux fruits est l'un des meilleurs desserts. Il est facile à faire, et tellement délicieux qu'il est difficile d'y résister ! Avec ses flocons d'avoine et ses graines de tournesol, ce plat est encore plus nourrissant.

Autres possibilités

Goûte plusieurs variétés de fruits. Ceux-ci sont bien meilleurs en saison. Pendant l'été, essaie donc les nectarines, les pêches, les prunes et la rhubarbe ; à la fin de l'été, les pommes, les mûres et les poires.

Ingrédients

- 4 pommes
- 200 g ou 400 ml (1⅓ tasse) de bleuets (décongelées, s'il y a lieu)
- 60 ml (4 cuil. à soupe) de jus de pomme frais
- 15 ml (1 cuil. à soupe) de cassonade

Garniture

- 175 ml (¾ tasse) de farine tout usage
- 125 ml (½ tasse) de farine de blé entier

- 75 ml (5 cuil. à soupe) de beurre doux (coupé en petits morceaux)
- 175 ml (¾ tasse) de sucre demerara ou sucre de canne
- 45 ml (3 cuil. à soupe) de graines de tournesol
- 15 ml (1 cuil. à soupe) de graines de sésame
- 45 ml (3 cuil. à soupe) de flocons d'avoine

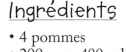

Graines de tournesol

Sucre demerara

Ustensiles

- un grand saladier
- un petit couteau tranchant
- une planche à découper
- un plat allant au four d'une contenance de 1 l (4 tasses)

Petit couteau tranchant

Planche à découper

Saladier

1 Fais préchauffer le four à 180 °C (350 °F). Mets les farines dans un grand saladier. Mélange-les avec une cuillère.

2 Ajoute le beurre. Malaxe-le avec la farine jusqu'à ce que cela ressemble à des miettes de pain. Ajoute le sucre, les graines et les flocons d'avoine. Mélange le tout.

3 Pèle les pommes et coupe-les en quartiers. Puis ôte soigneusement le trognon et coupe-les en petits morceaux.

Tu peux ne pas peler les pommes, si tu le souhaites : la peau, c'est bon pour la santé.

Informations nutritionnelles

Selon des recherches récentes, les bleuets devancent quarante autres fruits d'un point de vue nutritionnel ! Ils apportent de nombreux antioxydants, ce qui veut dire qu'ils contribuent à prévenir les cancers et les maladies cardiaques, qu'ils aident le corps à combattre les infections et qu'ils renforcent la mémoire et luttent contre le vieillissement.

Bleuets

4 Dispose les morceaux de pomme dans un plat allant au four. Ajoute les bleuets, puis verse le jus de pomme. Saupoudre le tout de cassonade.

5 Couvre le tout d'une couche uniforme de garniture avant de mettre au four. Fais cuire pendant 35 min jusqu'à ce que le dessus soit croustillant et commence à brunir.

Pudding aux fruits

Voici une version rapide de ce dessert traditionnel britannique. D'habitude, on prépare le pudding dans un saladier et on le laisse mariner toute une nuit pour que le pain absorbe bien les jus de fruits.

Le savais-tu ?

Le mot « compagnon » vient du latin « cum », qui signifie « avec », et « panis », qui signifie « pain », ce qui voulait donc dire « celui avec qui on partage le pain ».

Ingrédients

Pain de blé entier rassis

Mûres

- 8 tranches de pain de blé entier (de préférence légèrement rassis)
- 600 g ou 1 l (4 tasses) de petits fruits variés frais ou surgelés : fraises, mûres, cassis ou framboises

- 75 ml (⅓ tasse) de sucre
- 125 ml (½ tasse) d'eau

Casserole de taille moyenne

Fraises

Ustensiles

Passoire

- un grand emporte-pièce ou des ciseaux
- une planche à découper
- une casserole de taille moyenne
- un saladier
- une cuillère en bois
- une passoire
- un plat à lasagne
- une cuillère à soupe
- une spatule

Cuillère en bois

1 Découpe le pain avec l'emporte-pièce (utilise un maximum de pain pour éviter le gaspillage).

2 Mets à part une poignée de fruits et verse le reste dans une casserole avec les ⅔ du sucre et l'eau. Mélange et porte le tout à ébullition. Réduis le feu.

Informations nutritionnelles

Le pain est un aliment de base dans de nombreuses cultures : occidentale, moyenne-orientale et indienne. On fait cuire la pâte au four, à la vapeur ou à la poêle. On compte plus de 200 variétés de pains. Les plus saines sont à base de farine complète et contiennent plus de fibres et de vitamines B.

Pain

3 Laisse mijoter les fruits pendant environ 7 min, jusqu'à ce qu'ils soient tendres et très juteux. Goûte et ajoute du sucre, si le fruit est trop acide.

4 Filtre les fruits à la passoire pour en extraire le jus. Recommence, cette fois en appuyant avec le dos d'une cuillère pour obtenir une purée. Jette les graines.

Autres possibilités

Cette délicieuse purée de fruits accompagnerait très bien les crêpes à la banane (p. 28-29) ou le yogourt glacé tropical (p. 90-91).

5 Dispose les 4 morceaux de pain dans un plat à lasagne, puis verse la purée de fruits jusqu'à ce que le pain soit entièrement recouvert.

6 Couronne chaque morceau de pain d'un second morceau. Verse le reste de la purée et le coulis de fruits par-dessus. Appuie sur le pain avec le dos d'une cuillère.

7 Laisse mariner au moins 30 min pour que le pain soit bien imbibé. Sors les puddings un par un et décore-les avec le reste des fruits et un filet de coulis.

Carrés aux pommes

Fais préchauffer le four à 180 °C (350 °F). À feu doux, fais fondre 125 ml (½ tasse) de beurre avec 175 ml (¾ tasse) de cassonade et 45 ml (3 cuil. à soupe) de sirop de sucre de canne. Mets dans un saladier 500 ml (2 tasses) de flocons d'avoine, 1 pomme (nettoyée et rapée) et 30 ml (2 cuil. à soupe) de graines de tournesol. Mélange avec le beurre. Verse la préparation dans un moule à gâteau carré de 20 cm (8 po) préalablement huilé et fais cuire au four pendant 20-25 min.

Cuisine au four

Les gâteaux et les biscuits achetés dans le commerce contiennent généralement beaucoup de sucre et de gras. La plupart des recettes de ce chapitre comportent des fruits, dont le sucre naturel contribue à réduire la quantité de sucre raffiné dont tu auras besoin. Ils apportent en plus des vitamines. La farine de blé entier apporte également des fibres et des vitamines B. Voici quelques suggestions pour commencer.

Tartelettes aux pommes

Fais préchauffer le four à 180 °C (350 °F). Découpe des cercles de 10 cm (4 po) de diamètre dans de la pâte feuilletée. Dispose des fines tranches de pomme sur chaque cercle en laissant une bordure d'1 cm (½ po) sur tout le tour. Replie soigneusement la pâte. Dans une petite casserole, fais fondre un peu de confiture ou de miel, puis badigeonnes-en les pommes. Dispose les tartelettes sur une plaque de cuisson et fais cuire au four pendant 20-25 min.

Pain aux flocons d'avoine

Voici comment adapter la recette des petits pains ronds (p. 122-123) pour confectionner une miche de pain : remplace 125 ml (½ tasse) de la farine de blé entier par 125 ml (½ tasse) de flocons d'avoine à l'étape 2. À l'étape 6, façonne une grosse boule au lieu de confectionner 10 petits pains, puis parsème-la de flocons d'avoine avant de la mettre au four à l'étape 7.

Scones salés

Fais préchauffer le four à 220 °C (425 °F). Tamise 175 ml (¾ tasse) de farine de blé entier, 250 ml (1 tasse) de farine blanche et 10 ml (2 cuil. à thé) de poudre à pâte. Mélange le tout avec 2 ml (½ cuil. à thé) de sel dans un saladier. Ajoute 60 ml (4 cuil. à soupe) de beurre et mélange le tout. Creuse un puits au centre et verse 150 ml (⅔ tasse) de lait (tu peux aussi ajouter 50 ml (¼ tasse) de fromage, de tomates séchées ou de jambon). Mélange le tout pour obtenir une pâte collante que tu poseras sur une surface farinée. Pétris la pâte, puis abaisse-la pour former un cercle d'environ 2,5 cm (1 po) d'épaisseur. Découpe la pâte en cercles plus petits. Badigeonne-les de lait. Dispose-les sur une plaque préalablement huilée et fais cuire au four pendant environ 20 min.

Sandwich ouvert

Au lieu de prendre de la farine de blé, tu peux faire ton pain avec de la farine d'épeautre, de seigle, de maïs ou de sarrasin. Essaie donc ce sandwich avec un nouveau type de pain. Ajoute des garnitures telles que de la laitue, du fromage cottage et du jambon.

Muffins aux fruits

Les fruits frais et les fruits séchés apportent du sucre et des vitamines.

À la place des dattes (p. 108-109), à l'étape 4, tu peux ajouter à la pâte 125 g ou environ 250 ml (1 tasse) de tes fruits préférés : pommes, bananes, abricots, bleuets, framboises.

Petits pains aux graines de céréales

Les noix variées et les graines apportent au pain, aux biscuits et aux gâteaux des nutriments essentiels. À l'étape 3 de la recette des petits pains ronds (p. 122-123), ajoute 75 ml (5 cuil. à soupe) de noisettes concassées, plus quelques graines variées, à la pâte.

Pain plat

Ce pain plat fera un délicieux sandwich. Mets 325 ml (1⅓ tasse) de farine de blé entier, 5 ml (1 cuil. à thé) de poudre à pâte et 2 ml (½ cuil. à thé) de sel dans un saladier. Ajoute 15 ml (1 cuil. à soupe) d'huile végétale et 125 ml (½ tasse) d'eau; forme une pâte molle. Pétris la pâte sur une surface farinée, puis mets-la dans un saladier légèrement huilé. Couvre-la de pellicule de plastique et laisse reposer 1 h. Puis divise-la en 8 morceaux et abaisse-les pour former des ronds. Fais chauffer une poêle antiadhésive légèrement huilée et laisse cuire pendant 1-2 min de chaque côté, jusqu'à ce que tes pains soient dorés et bien gonflés.

● Préparation 15 min   ● Cuisson 20 min   ● Parts 8

Muffins aux dattes

Ces muffins sont succulents! Pour bien les réussir, il ne faut pas trop mélanger la pâte, sinon ils seront lourds et compacts. Remue la préparation avec une cuillère en bois jusqu'à ce que la farine disparaisse.

Le savais-tu?

Les dattes sont les fruits du palmier dattier, qui peut faire jusqu'à 25 m de haut. L'Égypte est le plus grand producteur mondial de dattes.

Ingrédients

Sucre

- 500 ml (2 tasses) de farine tout usage ou 375 ml (½ tasse) de farine de blé entier
- 15 ml (1 cuil. à soupe) de poudre à pâte
- 125 ml (½ tasse) de sucre
- 5 ml (1 cuil. à thé) de cannelle moulue
- 2 ml (½ cuil. à thé) de sel
- 175 ml (¾ tasse) de dattes coupées

 Œuf

- 15 ml (1 cuil. à soupe) de jus d'orange
- 135 ml (9 cuil. à soupe) de beurre
- 175 ml (¾ tasse) de lait
- 1 gros œuf (légèrement battu)

 Cannelle moulue

Farine de blé entier

Ustensiles

- des moules en papier
- un moule à muffins
- une passoire
- un grand saladier
- une cuillère en bois
- un mélangeur
- une petite casserole
- une tasse à mesurer
- une fourchette
- une grille

Mélangeur

Moule à muffins

1 Fais préchauffer le four à 200 °C (400 °F). Mets les moules en papier dans le moule à muffins. Tamise la farine et la poudre à pâte à l'aide de la passoire au-dessus d'un saladier.

2 Ajoute le sucre, la cannelle et le sel à la farine et à la poudre à pâte. Réduis les dattes et le jus d'orange en purée, avec le mélangeur.

3 Fais fondre le beurre à feu doux dans la casserole, puis verse le lait dans la tasse à mesurer. Ajoute l'œuf, le beurre fondu et la purée de dattes. Fouette le tout.

Autres possibilités

Tu peux remplacer la purée de dattes par des bleuets, des framboises ou des fraises. Tu peux aussi essayer d'autres fruits séchés tels que les abricots, les cerises, les raisins, les canneberges et les pruneaux.

Informations nutritionnelles

Les dattes font partie des premiers fruits cultivés par l'humain 6000 ans av. J.–C. Elles sont tendres et sucrent naturellement les plats. Faibles en gras, elles apportent également des fibres, du fer et du potassium.

Dattes

4 Verse le melange a base de dattes dans la farine. Incorpore les ingrédients à l'aide d'une cuillère en bois jusqu'à ce que la farine disparaisse.

5 Remplis les moules en papier presque à ras bord. Fais cuire au four pendant 20 min. Transfère-les sur une grille et laisse-les refroidir.

Gâteau aux carottes

Voici une recette toute simple, sans glaçage ni travail au fouet. Les carottes donnent au gâteau une texture légère et moelleuse tout en apportant des nutriments essentiels.

Astuces pratiques

Pour vérifier si ton gâteau est cuit, enfonce une brochette en métal jusqu'au centre. Si elle ressort sèche, tu peux le sortir du four : il est prêt.

Décore ton gâteau avec des écorces d'orange.

Ingrédients

Farine de blé entier

- du beurre (pour graisser le moule)
- 250 ml (1 tasse) de farine de blé entier
- 300 ml (1¼ tasse) de farine tout usage
- 15 ml (1 cuil. à soupe) de poudre à pâte
- 10 ml (2 cuil. à thé) de quatre-épices moulu

Œufs

- 300 ml (1¼ tasse) de sucre demerara ou de sucre de canne
- 250 g (½ lb) de carottes rapées
- 4 œufs
- 175 ml (¾ tasse) d'huile de tournesol
- 125 g (4 oz) de mascarpone
- 75 ml (5 cuil. à soupe) de sucre à glacer
- 5 ml (1 cuil. à thé) d'extrait de vanille

Ustensiles

- un moule à gâteau carré de 20 cm (8 po)
- du papier sulfurisé
- une passoire
- un grand saladier
- une cuillère en bois
- une tasse à mesurer
- une fourchette
- une spatule
- un bol

Tasse à mesurer

Passoire

1 Fais préchauffer le four à 180 °C (350 °F). Graisse légèrement le fond du moule à gâteau avant de le tapisser de papier sulfurisé.

2 Tamise les deux farines à l'aide de la passoire au-dessus d'un saladier. Incorpore bien la poudre à pâte, quatre-épices, le sucre et les carottes.

Informations nutritionnelles

Tous les gras ne sont pas mauvais (p. 14–15). L'huile végétale est une graisse non saturée, excellente source d'énergie qui aide ton corps à assimiler certaines vitamines.

Huile végétale

3 Casse les œufs dans la tasse à mesurer. À l'aide d'une fourchette, fouette-les légèrement. Puis verse-les dans le saladier qui contient les farines mélangées.

4 Ajoute l'huile, puis mélange jusqu'à ce que les ingrédients soient bien incorporés. Verse la préparation dans le moule et lisse le dessus avec le dos d'une cuillère.

5 Fais cuire le gâteau au four pendant 50 min, jusqu'à ce qu'il ait gonflé et qu'il soit bien doré. Retire-le du four et laisse-le refroidir avant de le démouler.

6 Démoule ton gâteau sur une grille pour le laisser refroidir. Fouette la mascarpone et le sucre à glacer dans un bol jusqu'à ce que le mélange soit onctueux.

7 Ajoute l'extrait de vanille. Laisse reposer le glaçage au frigo pendant 15 min, puis étale-le sur le gâteau et lisse-le à l'aide d'une spatule.

Carrés aux fruits

Les biscuits à l'avoine traditionnels sont meilleurs pour la santé que les autres desserts. Nos carrés le sont encore plus, car ils ont une couche de fruits au milieu.

Le savais-tu ?

En anglais, ces carrés portent le nom de « flapjack ». On ne sait pas très bien quelle est l'origine de ce mot, mais il apparaît dans la pièce de Shakespeare intitulée *Périclès*, au début du 17e siècle.

Ingrédients

- 375 ml (1½ tasse) d'abricots séchés
- 30 ml (2 cuil. à soupe) d'eau
- 500 ml (2 tasses) de farine de blé entier
- 425 ml (1¾ tasse) de flocons d'avoine
- 2 ml (½ cuil. à thé) de sel
- 175 ml (¾ tasse) de beurre doux
- 125 ml (½ tasse) de sucre demerara ou de sucre de canne
- 30 ml (2 cuil. à soupe) de sirop de maïs

Sucre demerara

Beurre doux

Sirop de maïs

Ustensiles

- un moule à gâteau carré de 18 cm (7 po)
- du papier sulfurisé
- des ciseaux
- un mélangeur
- un grand saladier
- une cuillère en bois
- une casserole
- une spatule en métal

Spatule en métal

Moule à gâteau carré

Ciseaux

1 Fais préchauffer le four à 200 °C (400 °F). Huile le fond d'un moule à gâteau avant de le tapisser de papier sulfurisé. Mets les abricots et l'eau dans le bol du mélangeur.

2 Réduis les abricots en purée. Dans un saladier, mélange la farine, les flocons d'avoine et le sel.

Informations nutritionnelles

L'avoine comme les abricots sont riches en fibres solubles, qui aident à contrôler le taux de sucre dans le sang et à maintenir le niveau d'énergie. Les abricots séchés sont aussi une bonne source de fer.

Flocons d'avoine

Abricots séchés

3 Fais fondre le beurre doux, le sucre et le sirop dans une casserole sur feu doux. Remue de temps à autre jusqu'à ce que le beurre ait complètement fondu.

4 Verse ce mélange dans le saladier qui contient la farine, l'avoine et le sucre. Remue bien jusqu'à ce que tu obtiennes un mélange collant.

Autres possibilités

Tu peux aussi faire de la purée de fruits frais. Les framboises, les prunes, les bleuets ou les mûres iront très bien (p. 86).

5 Étale la moitié de ce mélange au fond du moule à gâteau et lisse cette couche avec le dos d'une cuillère. Étale toute la purée d'abricots par-dessus.

6 Ajoute le reste du mélange à base de flocons d'avoine sur les abricots. Fais cuire au four pendant 25-30 min, jusqu'à ce que le dessus soit bien doré.

7 Retire le plat du four et laisse refroidir pendant 5 min. Découpe en carrés et laisse-les complètement refroidir avant de les démouler.

Biscuits aux fruits et aux noisettes

Ces délicieux biscuits regorgent d'ingrédients énergétiques comme les flocons d'avoine, les fruits séchés et les noisettes. Ils sont bien meilleurs pour la santé que ceux que tu achètes dans le commerce.

⚠️ Si tu es allergique aux noisettes, n'en mets surtout pas. Cette recette n'en sera pas moins délicieuse.

Canneberges séchées

Ingrédients

• 125 ml (½ tasse) d'abricots séchés
• 250 ml (1 tasse) de farine (tout usage ou 175 ml (¾ tasse) de farine blé entier)
• 175 ml (¾ tasse) de flocons d'avoine

• 50 ml (¼ tasse) de noisettes concassées (facultatif)
• 125 ml (½ tasse) de beurre doux
• 75 ml (⅓ tasse) de cassonade
• 30 ml (2 cuil. à soupe) de miel liquide

Raisins secs

Ustensiles

• deux plaques de cuisson
• des ciseaux
• un saladier
• une cuillère en bois
• un couteau tranchant
• une petite casserole
• une grille

Ciseaux

Abricots séchés

Miel

1 Fais préchauffer le four à 180 °C (350 °F). Beurre légèrement deux plaques. Coupe les abricots en morceaux avant de les mettre dans un saladier.

2 Verse la farine, l'avoine et les noisettes dans le saladier. Mélange bien le tout. Coupe le beurre en petits morceaux avant de les mettre dans la casserole.

3 Ajoute la cassonade et le miel à la casserole. Fais chauffer le tout à feu doux. Remue doucement avec une cuillère en bois jusqu'à ce que tout ait fondu.

4 Ajoute le mélange à base de beurre dans le saladier. Verse la pâte à biscuits sur chaque plaque, 15 ml (1 cuil. à soupe) à la fois, en laissant des espaces entre chaque cuillerée.

5 Aplatis un peu les biscuits. Ils doivent avoir un diamètre de 5 cm (2 po) et 1 cm (½ po) d'épaisseur. Fais-les cuire pendant 15 min, jusqu'à ce qu'ils soient dorés.

Autres possibilités

Tu peux utiliser des raisins secs, des pêches, des cerises ou des dattes à la place des abricots séchés. Pour remplacer les noisettes, prends des noix du Brésil, par exemple.

6 Sors les plaques du four et laisse les biscuits refroidir un peu avant de les transférer sur une grille, où ils deviendront croustillants.

Informations nutritionnelles

On fabrique la farine en moulant du grain, généralement du blé. La farine de blé entier est obtenue à partir d'épis de blé entier, sans ajout ni retrait. Elle contient plus de fibres et de vitamines B que la farine blanche et raffinée, au point qu'il ne reste dans celle-ci que 75 % des grains. Les vitamines sont essentielles pour produire de l'énergie, tandis que les fibres aident ton système digestif à fonctionner.

Blé

Tartes aux pommes et aux cerises

Dans ce dessert, on a combiné les cerises et les pommes. On ne fait pas cuire ces petites tartes dans un moule ; on replie simplement les bords pour enfermer la garniture.

Astuce pratique

Les amandes moulues, la semoule de blé, la farine de maïs contribuent à absorber les jus de fruits et à éviter que la pâte soit détrempée. Les amandes moulues apportent aussi de la saveur. Mais, si tu es allergique aux noix, utilise de la semoule de blé ou de la farine de maïs.

Ingrédients

• 75 ml (5 cuil. à soupe) de beurre doux (et un peu plus pour le glaçage)
• 60 ml (4 cuil. à soupe) de sucre
• 1 gros œuf (légèrement battu)
• 500 ml (2 tasses) de farine tout usage (et un peu plus pour le saupoudrage)
• 15 ml (1 cuil. à soupe) d'eau

Garniture

Pommes

• 30 ml (2 cuil. à soupe) de sucre
• 300 g ou 375 ml (1½ tasse) de cerises en boîte dénoyautées (égouttées)
• 2 pommes
• 50 ml (¼ tasse) d'amandes moulues, de semoule de blé ou de farine de maïs

Glaçage

• 1 gros œuf (légèrement battu)

Ustensiles

• deux plaques de cuisson
• du papier sulfurisé
• un robot culinaire
• de la pellicule de plastique
• un épluche-légumes
• des ciseaux
• un saladier
• un rouleau à pâtisserie
• un pinceau à pâtisserie

Pellicule de plastique

Robot culinaire

1 Tapisse les plaques de papier sulfurisé. Mets le beurre, le sucre et 1 œuf dans le bol du robot et mélange jusqu'à l'obtention d'une consistance onctueuse.

2 Ajoute la farine et 1 cuil. à soupe d'eau dans le bol du robot jusqu'à l'obtention d'une boule de pâte (elle sera très molle).

Le savais-tu ?

Les cerises remontent à l'âge de pierre. On a retrouvé de nombreux noyaux dans des grottes en Europe.

3 Dépose la pâte sur une surface farinée et pétris pour former une boule lisse. Emballe-la dans de la pellicule de plastique et réserve-la au frigo pendant 30 min.

4 Fais préchauffer le four à 200 °C (400 °F). Pendant que la pâte est au frigo, égoutte les cerises et mélange-les avec les pommes, le sucre et les amandes.

Informations nutritionnelles

Dans cette recette, on utilise des fruits en boîte, car les cerises ne sont pas toujours disponibles au cours de l'année. Opte pour des fruits en conserve sans sucre ajouté ni sirop.

Cerises en boîte

5 Divise la pâte en 6 morceaux. Sur une surface légèrement farinée, abaisse la pâte pour former 6 cercles fins d'environ 13 cm (5 po) de diamètre. Dépose-les sur la plaque.

6 Saupoudre la pâte d'amandes moulues. Ajoute les fruits en laissant une bordure de 2,5 cm (1 po). Replie les bords sans refermer complètement les tartes.

7 Badigeonne l'extérieur des tartes avec de l'œuf battu. Dépose une noisette de beurre sur les fruits. Fais cuire les tartes pendant 25 min.

Pain irlandais aux raisins

Le pain irlandais est idéal pour les débutants. Il ne contient pas de levure, il n'est donc pas nécessaire de le pétrir longtemps ni de le faire lever comme le pain ordinaire. Mais il est tout aussi délicieux.

Si la pâte est trop sèche à l'étape 4, ajoute un peu plus de babeurre.

Astuces pratiques

Si tu ne trouves pas de babeurre, utilise la même quantité de yogourt nature à 0% ou de lait à 1% mélangé à 15 ml (1 cuil. à soupe) de jus de citron.

Ingrédients

• 375 ml (1½ tasse) de farine de blé entier
• 500 ml (2 tasses) de farine tout usage (et un peu plus pour le saupoudrage)
• 5 ml (1 cuil. à thé) de sel
• 5 ml (1 cuil. à thé) de bicarbonate de soude
• 150 ml (⅔ tasse) de flocons d'avoine
• 22 ml (1½ cuil. à soupe) de sucre
• 175 ml (¾ tasse) de raisins secs
• 1 œuf (légèrement battu)
• 300-375 ml (1¼-1½ tasse) de babeurre

Raisins secs

Farine de blé entier

Ustensiles

Cuillère en bois

• une plaque de cuisson
• une passoire
• un grand saladier
• une tasse à mesurer
• une cuillère en bois
• un couteau

Grand saladier

Informations nutritionnelles

Le babeurre est le liquide qui reste après qu'on a baratté la crème pour en faire du beurre. Faible en gras, il est souvent utilisé pour faire des crêpes, des scones et du pain irlandais. Mélangé au bicarbonate de soude, il sert d'agent de levure.

Babeurre

Autres possibilités

Tu peux remplacer les raisins secs par des dattes, des cerises séchées ou des bleuets séchés. Tu peux aussi essayer un mélange de fruits séchés du commerce.

1 Fais préchauffer le four à 200 °C (400 °F). Saupoudre un peu de farine sur une plaque pour éviter que la miche y colle.

2 Tamise les farines avec le sel et le bicarbonate de soude au-dessus d'un saladier à l'aide de la passoire. S'il reste du son dans la passoire, ajoute-le au reste.

3 Ajoute les flocons d'avoine, le sucre et les raisins secs en remuant. Creuse un puits au centre du mélange obtenu. Verses-y l'œuf et 300 ml de babeurre.

4 Mélange le tout avec une cuillère en bois. Une fois que la consistance est homogène, forme une boule de pâte avec les mains. Elle devrait être collante et molle.

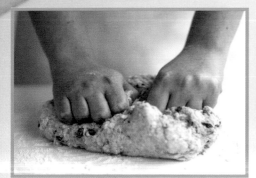

5 Depose la pâte sur une surface farinée. Pétris-la doucement jusqu'à ce qu'elle soit bien lisse. Une ou deux fois suffisent, sinon elle risque de durcir.

6 Aplatis la pâte pour former un rond d'environ 18 cm (7 po) de diamètre et 4 cm (1½ po) d'épaisseur. Dépose-la sur une plaque farinée.

7 Tamise un peu de farine sur le pain. Trace une croix sur le pain en enfonçant bien ton couteau. Fais cuire au four pendant 30-35 min.

Gâteau à la banane et à l'ananas

C'est un dessert parfait pour un pique-nique ou pour une collation, ou bien en guise de dessert à la fin d'un repas.

Le savais-tu ?

Alexandre le Grand découvrit les bananes lors de sa conquête de l'Inde, en 327 av. J.-C.!

Ingrédients

- 125 ml (½ tasse) de beurre doux coupé en petits morceaux (et un peu plus pour graisser le moule)
- 5 petites bananes (environ 500 g, une fois pelées)
- 75 g d'ananas séché
- 425 ml (1¾ tasse) de farine tout usage
- 75 ml (⅓ tasse) de farine de blé entier

- 10 ml (2 cuil. à thé) de poudre à pâte
- 1 pincée de sel
- 2 gros œufs
- 175 ml (⅔ tasse) de sucre
- 75 ml (⅓ tasse) de noix variées concassées (facultatif)

Farine

Bananes

Œufs

Ustensiles

- un moule à pain
- du papier sulfurisé
- un petit bol
- une fourchette
- des ciseaux
- une passoire
- deux saladiers
- une cuillère en bois

Ciseaux

Saladier

Moule à pain

1 Fais préchauffer le four à 180 °C (350 °F). Graisse légèrement le fond du moule et tapisse-le de papier sulfurisé.

2 Mets les bananes dans un saladier et réduis-les en purée à l'aide d'une fourchette. Coupe l'ananas en petits morceaux.

Astuces pratiques

Si l'ananas est très sec, mieux vaut le laisser tremper dans l'eau chaude pendant 1 h, jusqu'à ce qu'il soit tendre.

3 Tamise la farine, la poudre à pâte et le sel au-dessus d'un autre saladier. Mélange, puis ajoute le beurre. Mélange le beurre et la farine jusqu'à obtenir de petites miettes de pain.

4 Casse les œufs dans le petit bol. Bats-les légèrement à l'aide d'une fourchette jusqu'à ce que le mélange soit homogène.

Informations nutritionnelles

L'ananas est parfait pour les estomacs délicats : il contient une enzyme anti-inflammatoire, la bromélaïne. Elle contribue à faire désenfler les tissus et accélère la guérison après une opération chirurgicale. Elle aide aussi à la digestion.

Ananas

5 Verse les œufs dans le grand saladier, ajoute le sucre, les bananes et l'ananas. Mélange le tout. Verse-le dans le moule.

6 Assure-toi que la pâte est bien répartie, puis ajoute les noix. Fais cuire au centre du four pendant 50 min, jusqu'à ce que ton gâteau soit gonflé et doré.

7 Retire le moule du four et laisse-le refroidir sur une grille pendant 10 min. Démoule le gâteau et coupe-le en tranches. C'est prêt!

Petits pains ronds
aux graines de tournesol

L'arôme du pain qui sort du four est incomparable !
Il ne faut que quelques ingrédients pour faire ces
petits pains-là. Tu peux aussi faire une grosse miche
(p. 106) si tu veux.

(p. 106)

Autres possibilités

Au lieu de saupoudrer les graines
sur tes pains, tu peux les mélanger
à la pâte à l'étape 2. Les graines
de sésame, de citrouille ou
de pavot sont tout aussi
délicieuses.

Pour vérifier si tes pains sont cuits, tapote légèrement leur base : si ça sonne creux, c'est prêt !

Ingrédients

• 375 ml (1½ tasse) d'eau tiède
• 10 ml (2 cuil. à thé) de
levure sèche instantanée
• 125 ml (½ tasse) de farine
à pâtisserie
• 250 ml (1 tasse) de farine
de blé entier à pâtisserie
• 7 ml (1½ cuil. à thé) de sel
• 1 œuf (battu)
• 75 ml (5 cuil. à soupe) de
graines de tournesol

Graines de
tournesol

Farine de
blé entier
à pâtisserie

Ustensiles

• un petit bol
• un grand saladier
• une cuillère en bois ou en métal
• deux plaques de cuisson
• un pinceau à
pâtisserie

Saladier

Cuillère en bois

1 Verse 125 ml (½ tasse) d'eau dans un petit bol. Ajoute la levure. Remue jusqu'à ce qu'elle soit entièrement dissoute. Laisse-la reposer pendant 5 min.

2 Mets les deux farines et le sel dans le grand saladier. Mélange le tout. Creuse un puits au centre de la farine.

3 Verse la levure et presque tout le reste de l'eau dans le puits, puis incorpore lentement la farine. Ajoute le reste de l'eau, s'il y a lieu, pour ramollir la pâte.

4 Dépose la pâte sur une surface farinée. Pétris-la pendant 10 min jusqu'à ce qu'elle soit lisse et brillante. Mets-la dans un saladier et recouvre d'un torchon.

5 Laisse lever la pâte 1 h 30-2 h, jusqu'à ce qu'elle ait doublé de volume. Fais préchauffer le four à 220 °C (425 °F). Enfonce ton poing dans la pâte.

6 Divise la pâte en 10 morceaux. Mets-toi de la farine dans les mains avant de façonner la pâte en boules. Recouvre les petits pains et laisse-les reposer pendant 10 min.

7 Badigeonne chaque petit pain d'œuf battu avant d'enfoncer des graines de tournesol sur le dessus. Fais cuire pendant 25-30 min.

Informations nutritionnelles

La levure est un micro-organisme unicellulaire qui fait partie de la famille des champignons. Tu peux l'acheter fraîche ou bien sèche. On l'utilise pour faire lever la pâte et donner au pain une texture aérée. Pour opérer, la levure a besoin de chaleur et d'humidité. Elle fermente et produit de petites bulles de gaz qui font lever la pâte.

Levure fraîche

Glossaire

C'est ici que tu trouveras des informations complémentaires sur les techniques et les termes de cuisine employés dans ce livre.

A

Acides aminés – Protéines qui constituent les « briques de la vie ». Le corps en a besoin pour grandir et se réparer. Il peut en fabriquer certains et tire les autres de la nourriture.

Acides gras – Ils constituent la majorité des graisses saturées, poly-insaturées ou mono-insaturées. Un déséquilibre dans l'apport en acides gras peut entraîner des maladies cardiaques.

Additifs – Substances ajoutées aux aliments pour leur donner de la couleur ou de la saveur, ou pour prolonger leur conservation.

Agent de levure – Substance qui sert à faire gonfler les aliments et à leur donner une texture légère et aérée, la levure par exemple.

Anticorps – Protéines fabriquées par le système immunitaire pour combattre les virus et les bactéries.

Anti-inflammatoire – Propriété de toute substance qui réduit les symptômes d'une inflammation tels que les gonflements, les rougeurs, les chaleurs et la douleur.

Antioxydants – Vitamines, minéraux et phytomolécules qui protègent le corps contre les effets dévastateurs des radicaux libres (qui endommagent les cellules).

Assaisonner – Ajouter du sel et du poivre pour donner de la saveur aux aliments ou la souligner.

B

Bactéries bénéfiques – Les bactéries qui vivent dans l'intestin nous aident à digérer les aliments et empêchent les bactéries nocives de se multiplier.

Battre – Remuer ou mélanger rapidement un ingrédient pour l'aérer.

Bêta-carotène – C'est la substance qui donne leur couleur aux fruits et aux légumes orange et jaunes. Le corps le transforme en vitamine A.

Bioflavonoïdes – Éléments que l'on trouve dans les fruits et les légumes sucrés. Ils contribuent à la bonne santé des vaisseaux capillaires sanguins.

C

Calcium – Sel minéral essentiel pour avoir de bonnes dents et des os solides. Il contribue au bon fonctionnement des nerfs et des muscles.

Caroténoïdes – Pigments semblables au carotène, que l'on trouve dans certaines plantes.

Cholestérol – Gras produit essentiellement par le foie. Les régimes riches en acides gras saturés peuvent faire grimper le taux de cholestérol dans le sang et augmenter le risque de crise cardiaque et d'accidents vasculaires cérébraux.

Concentrer – C'est lorsqu'on retire des aliments des éléments non essentiels, comme l'eau.

Cosse – Enveloppe d'une graine.

Couper en lanières – Couper ou déchiqueter des aliments pour en faire des bandes fines.

Couper en rondelles – Couper la nourriture en tranches plus ou moins fines à l'aide d'un couteau.

Cuisson au four – On utilise une chaleur sèche (sans liquide) pour faire brunir l'extérieur des aliments.

Cuisson sur plaque – On fait cuire les aliments sur une plaque qui laisse s'écouler les graisses.

Culture – Préparation des sols pour y faire pousser des plantes. On creuse la terre pour ôter les mauvaises herbes.

D

Digestion – Processus par lequel le corps décompose les aliments, qui peuvent alors être employés pour favoriser la croissance et la réparation des tissus.

E

Élevé en plein air – Se dit d'un animal de ferme dont les conditions d'élevage lui ont permis de se déplacer librement.

Enzymes – Protéines dérivées des acides aminés, qui déclenchent des réactions chimiques dans le corps. Chaque enzyme a sa fonction propre ; par exemple, la lactase décompose le lactose contenu dans les produits laitiers.

F

Fade – Se dit d'un plat qui n'a pas beaucoup de goût.

Faire cuire au wok – Faire cuire les aliments dans un peu d'huile à feu vif sans cesser de remuer.

Faire dorer – Faire cuire, en général au four, à la poêle ou au gril jusqu'à ce que les aliments prennent une couleur dorée.

Faire fondre – Réduire un solide comme le beurre en un liquide sous l'action de la chaleur.

Faire frire à sec – Faire frire sans utiliser de corps gras.

Faire griller – Faire dorer des aliments, notamment le pain dans un grille-pain, au gril ou dans une poêle à frire.

Faire mariner – Laisser tremper de la viande, du poisson ou des légumes dans une marinade avant de les faire cuire pour qu'ils en absorbent la saveur et restent tendres.

Faire sauter – Faire frire à l'huile ou au beurre pour faire dorer les aliments.

Féculents – Aliments qui contiennent du sucre ou de l'amidon : ils apportent de l'énergie au corps.

Fer – Sel minéral dont le corps a besoin pour fabriquer les globules rouges. Si tu ne manges pas assez de fer, ton sang ne pourra pas apporter efficacement l'oxygène à tes cellules.

Fibres – Partie d'une plante qui n'est pas digérée et qui passe dans le système digestif avant d'être éliminée. Elles contribuent au bon fonctionnement de tes intestins.

Fouetter – Mélanger vigoureusement les ingrédients à l'aide d'une fourchette ou d'un fouet pour les aérer.

Frire – Faire cuire des aliments dans une poêle ou une casserole posée directement sur le feu avec un peu d'huile.

Friture – Faire frire dans un récipient profond rempli d'huile pour faire dorer les aliments et les rendre croustillants.

G

Germe – Petit organisme invisible à l'œil nu, capable d'envahir le corps et d'entraîner des maladies. Les bactéries et les virus sont des germes.

Gras – Groupe qui comprend les huiles et les graisses solides comme la margarine. Ils sont soit saturés, soit non saturés. Trop de gras saturés peuvent entraîner des maladies cardiaques, à l'inverse des gras non saturés.

Griller – Faire cuire ou dorer les aliments à feu vif.

L

Lycopène – Vitamine antioxydante dont regorgent les tomates et certains autres fruits et légumes rouges comme la pastèque.

M

Magnésium – Sel minéral essentiel à de nombreuses fonctions du corps. Il contribue à réguler le rythme cardiaque et à renforcer les os et les nerfs.

Maigre – Se dit d'une viande essentiellement constituée de muscles et qui contient peu de gras.

Marinade – Il s'agit en général d'un mélange d'huile et de condiments dans lequel on laisse tremper la viande, le poisson ou les légumes avant de les faire cuire.

Micro-organisme – Organisme si petit qu'on peut le voir seulement au microscope.

N

Nourriture de base – Aliment qui constitue le principal élément du régime d'une communauté. Il s'agit généralement du riz ou des pommes de terre.

Nutriments – Éléments qu'on trouve dans la nourriture. Ils comprennent les protéines, les féculents, les gras, les vitamines et les sels minéraux.

P

Pâte – Mélange solide de farine, de liquide et d'autres ingrédients qu'on peut pétrir et façonner pour faire du pain ou des pâtisseries.

Pétrir – Replier la pâte en appuyant dessus avec les mains pour la rendre souple et lisse. Cela augmente le gluten (une protéine) présent dans la pâte.

Phosphore – Sel minéral essentiel qui contribue au bon fonctionnement des cellules du corps.

Phytomolécules – Ce ne sont pas des nutriments à proprement parler, mais elles aident le corps à combattre les maladies.

Pocher – Faire cuire dans un liquide frémissant. On peut pocher des œufs ou du poisson.

Porter à ébullition – Faire chauffer un liquide à très haute température jusqu'à ce qu'il fasse des bulles et de la vapeur.

Potassium – Sel minéral essentiel à la croissance et à la bonne santé. Il aide, entre autres, à maintenir une pression artérielle constante et un bon fonctionnement des muscles.

Protéines – On les trouve dans les plantes et les animaux. Elles contribuent à la bonne santé de ton corps. Elles sont constituées d'acides aminés.

Purée – Fruits, légumes, légumineuses, viande ou poisson qu'on transforme en une substance lisse.

R

Raffinée – Nourriture qui a subi un traitement. Les farines complètes sont meilleures, car elles n'ont pas été trop raffinées.

Remuer – Mélanger les aliments en décrivant des mouvements circulaires, généralement à l'aide d'une cuillère.

Rôtir – Faire cuire des aliments au four à haute température.

S

Sélénium – Sel minéral qui aide ton système immunitaire à fonctionner. C'est aussi un antioxydant qui protège tes cellules.

Sels minéraux – Nutriments qu'on trouve dans les aliments, essentiels à la bonne santé du corps, qui en a besoin en petites quantités.

Son – Enveloppe des graines de céréales qu'on a séparée de la farine.

Système digestif – Les organes du corps par lesquels passe la nourriture lorsqu'elle est digérée : la bouche, l'œsophage, l'estomac et les intestins. Le foie et le pancréas sécrètent aussi des substances essentielles à la digestion.

Système immunitaire – Système d'autodéfense du corps, dont le rôle est de combattre les infections et les maladies.

T

Tamiser – Filtrer des aliments à la passoire pour ôter les grumeaux ou les morceaux les plus gros.

Taux de sucre dans le sang (glycémie) – Le taux de sucre (glucose) contenu dans le sang. Si tu manges mal, ce taux augmente et chute rapidement, ce qui entraîne des problèmes tels que vertiges et sautes d'humeur.

Toxine – Substance qui a un effet négatif sur ton corps. Elle peut se trouver dans ou sur ce que tu manges.

V

Vitamines – Nutriments essentiels au bon fonctionnement et à la santé de ton corps.

Vitamine A – Également connue sous le nom de rétinol, elle contribue à la santé de ta peau. Elle renforce ton système immunitaire et permet la vision nocturne.

Vitamines B – Groupe de vitamines essentielles à la digestion des féculents, des protéines et des gras. On compte la thiamine, la riboflavine, la niacine, les vitamines B6 et B12, l'acide pantothénique, la biotine, l'acide folique.

Vitamine C – Également connue sous le nom d'acide ascorbique, elle protège tes cellules et aide ton corps à assimiler le fer contenu dans les aliments.

Vitamine D – Elle contribue à réguler le taux de calcium et de phosphore dans ton corps.

Vitamine E – Antioxydant qui aide à protéger la membrane des cellules.

Z

Zinc – Élément qui aide ton corps à fabriquer de nouvelles cellules et enzymes. Il décompose aussi les protéines, les gras et les féculents, et contribue à la guérison des blessures.

Index